JOYCE MEYER

COM KAREN MOORE. BASEADO NO LIVRO CAMPEÃO DE VENDAS, COM MAIS DE DOIS MILHÕES DE CÓPIAS VENDIDAS.

Campo de Batalha da mente
para Crianças

Edição publicada mediante acordo com FaithWords, New York, New York. Todos os direitos reservados.

Diretor
Lester Bello

Autoras
Joyce Meyer e Karen Moore

Título Original
Battlefield of the Mind for Kids

Tradução
Célia Regina Chazanas Clavello

Revisão
Tucha

Editoração eletrônica
Eduardo Costa de Queiroz

Design capa (Adaptação)
Fernando Duarte e Ronald Machado

Impressão e Acabamento
Promove Artes Gráficas

Rua Major Delfino de Paula, 1212
São Francisco, CEP 31.255-170
Belo Horizonte/MG - Brasil
contato@belloeditora.com
www.belloeditora.com

© 2006 Joyce Meyer
Copyright desta edição:
FaithWords

Publicado pela Bello Com. e Publicações Ltda - ME. com devida autorização de FaithWords, New York, New York.

Todos os direitos autorais desta obra estão reservados.

1ª Edição - Setembro 2007
Reimpressão - Abril 2017

M612

Meyer, Joyce
  Campo de batalha da mente para crianças / Joyce Meyer e Karen Moore; tradução de Célia Regina Chazanas Clavello. – Belo Horizonte: Bello Publicações, 2017.

  184p
  Título original: Battlefield of the mind for Kids
  ISBN: 978-85-61721-30-5

  1. Controle da mente para crianças.
  2. Pensamento positivo. I. Moore, Karen. II. Título.

CDD: 158.1   CDU: 159.923.2

Bibliotecária responsável:
Maria Aparecida Costa Duarte - CRB/6-1047

Sumário

Capítulo 1: Pense melhor!..**1**

Capítulo 2: Estourando os balões de alguns velhos pensamentos...............................**10**

Capítulo 3: Eu ouvi dizer por aí... ....**31**

Capítulo 4: Epa! Cuidado com esses espíritos de confusão... ....**44**

Capítulo 5: Pensando no que você está pensando...**56**

Capítulo 6: Quem está cuidando de sua mente?....**72**

Capítulo 7: Quando a melhor nota que você pode tirar é *zero*!......................................**86**

Capítulo 8: A dúvida e a depressão pertencem à lixeira..**102**

Capítulo 9: "As enlouquecedoras ervas-daninhas da preocupação" (e como se livrar delas!)....................................**117**

Capítulo 10: Lá vem o juiz!....................................**136**

Capítulo 11: Troque seus pensamentos e suas meias....................................**146**

Capítulo 12: Arrume seus pensamentos. Não arrume desculpas!....................................**159**

Campo de Batalha da **mente**
para Crianças

Pense melhor!

Perceber o que você realmente pensa sobre algo não é tão fácil. De fato, mesmo quando você pensa que sabe o que está pensando, pode ser surpreendido ao perceber que não pensava *realmente assim*. Algumas vezes, você pensa alguma coisa porque tem um amigo que pensa dessa forma e você acaba concordando com ele porque isso faz parte daquilo que os tornam mais amigos.

Joyce Meyer

Por exemplo, se a cor preferida de seu amigo é roxo, vocês podem concordar em tê-la como sua cor preferida e usar roupas roxas sempre que puderem. Um dia, porém, você talvez olhe alguma coisa da cor laranja e goste bastante e fique se perguntando se a cor laranja não seria realmente sua cor favorita. Se você disser a seu amigo que prefere a cor laranja, acaba de descobrir de uma forma bem simples o que significa ter seus próprios pensamentos.

É bom ter pessoas que concordam com a maneira como você pensa. É uma idéia melhor ainda saber *por que* você pensa de certa forma. Se você não está realmente certo daquilo que pensa ou se você tem pensado em algumas coisas esquisitas que podem nem ser a verdade, pode pensar melhor a respeito disso. Deus tem um plano para ajudá-lo a pensar de forma mais clara.

Em Filipenses 4.8, Deus nos deu alguns bons exemplos das coisas sobre as quais pensar. Lemos neste trecho: *Encham a mente de vocês com tudo o que é bom e merece elogios, isto é, tudo o que é verdadeiro, digno, correto, puro, agradável e decente* (NTLH). O autor prossegue dizendo que, se fizermos isso, o Deus que dá a paz estará conosco.

"Bem, o que você pensa disso"? não é uma pergunta que seus amigos fazem o tempo inteiro? Desde escolher um filme até comentar sobre seu conjunto musical favorito, seus amigos querem saber o que você pensa sobre algo. Quando devemos fazer escolhas de qualquer tipo, é bom saber *por que* escolhemos certas coisas. Essas escolhas se baseiam na maneira como pensamos.

Tenha seus pensamentos em ordem

Como você coloca seus pensamentos em ordem ou, mesmo, peneira tudo para saber quais pensamentos realmente são seus? Faça uma lista para si mesmo neste momento. Escreva nela os nomes das pessoas ou coisas em sua vida que influenciam sua maneira de pensar. Você listou atletas, atores ou, talvez, um personagem de um livro que leu? Você colocou o nome de seu melhor amigo, de sua irmã ou, talvez, de sua mãe? Talvez você tenha colocado seu pastor ou um herói da Bíblia. Desde programas de TV até grupos musicais, igreja, família e amigos, todos fazem parte do processo que influencia a maneira como você pensa hoje.

Se você quer ter pensamentos bons e que valem a pena, pensamentos com os quais pode se alegrar por pensar assim, o que fazer? Pense, por exemplo, em seu alvo de obter boas notas ou tornar-se mais ativo em seu grupo na igreja, ou ajudar um amigo a fazer uma boa obra. Mas como seus pensamentos são bombardeados pelo lado de fora?

Obtendo boas notas

Vamos supor que você queira tirar 10 em Português como seu alvo. Se você for bom em Português, esse seria um alvo fácil e você poderia rapidamente chegar à nota 10 e ainda conseguir alguns outros benefícios como chocolate, batata frita, etc. Mas se você não for bom em Português e mesmo assim estabelecer esse alvo, como seus pensamentos poderiam atrapalhar suas esperanças de conseguir a nota 10?

Primeiramente, você começa a ler alguma coisa nos jornais sobre atletas que recebem milhões de dólares para jogar futebol, mesmo que eles mal tenham ido à escola. As chances de esses milionários tirarem 10 em Português são muito pequenas. Você começa, então, a pensar que Português não é assim tão importante.

Então, seu melhor amigo começa a implicar com você por tornar-se tão fanático pelos estudos. Agora, sim, é que a nota 10 deixou de ser tão importante! Depois disso, lembra-se de um professor que no ano passado lhe disse que você não tem a letra muito boa. Certamente esse professor estava tentando ensinar-lhe a escrever de forma correta, mas você apenas se lembra do comentário, e isso, provavelmente, confirma que você não poderá obter 10 em Português.

Ou talvez você tenha assistido a algum desses programas de TV que tornam as pessoas famosas rapidamente e pensado: "Deve haver outra forma de ser bem-sucedido sem precisar tirar 10 em Português". Até mesmo seu pai lhe diz que ele não era bom em Português e, portanto, você também não será. Agora sua mente está cheia de boas desculpas que tornam simplesmente impossível tirar 10!

Que o *verdadeiro* "você", por favor, se *manifeste*

A questão é que todas essas coisas influenciam sua maneira de pensar. Como você pode, então, decidir como pensar e estabelecer bons alvos por si mesmo? Como você pode conhecer seu verdadeiro "eu"?

Em meu livro, *O Campo de Batalha da Mente*, que escrevi para adultos, eu os ajudo criando ferramentas que serão úteis para endireitar-lhes os pensamentos. Vamos fazer agora uma caixa de ferramentas mental e colocar algumas dessas idéias dentro dela:

■ **Leia a Bíblia**. Bem, isso pode parecer bastante simples, mas por onde começar? Vamos observar o que está escrito em Romanos 12.2: *Não vivam como vivem as pessoas deste mundo, mas deixem que Deus os transforme por meio de uma completa mudança da mente de vocês. Assim vocês conhecerão a vontade de Deus, isto é, aquilo que é bom, perfeito e agradável a ele.*

Muito bem, você leu isso. Agora vamos observar o texto novamente. Ele disse para você não seguir a multidão, para não fazer uma escolha simplesmente porque todos estão fazendo, para não pensar da mesma forma que seus amigos pensam quando eles não estão fazendo uma boa escolha. Seja você mesmo!

Então, o que você deveria fazer?

Vamos pensar por um momento por qual motivo você quer ser como seus amigos. Geralmente, você quer ser como outras pessoas porque as admira, ou acha que elas são legais, ou considera que elas são bastante especiais de alguma forma. Essas são boas razões para querer ser como alguém.

Procure em sua Bíblia!

Mas e se pessoa que você admira decide fazer algo com o qual você não concorda? E se seu amigo decide fumar, por exemplo? Você já sabe que fumar é algo ruim e repugnante. Você já sabe que seus pais ficariam muito bravos se você fumasse, mas e se seu amigo lhe dissesse algo como: "Se você for realmente meu amigo, você não contará a ninguém que fumo e fumará também". O que você faz, então?

Quando você leva a sério o conselho da Bíblia e olha para dentro de si mesmo para descobrir realmente qual é a verdade para você, isso pode significar discordar de seu amigo e até mesmo deixar de ser amigo dele por algum tempo.

Isso seria pensar de uma nova forma, buscando o que é certo *para você*. Pensar dessa forma ajuda você a perceber claramente o que Deus quer para sua vida e a escolher um caminho que será bom e agradável a Ele.

■ **Dê a si mesmo a permissão de ter seus próprios pensamentos.** A Bíblia nos ensina a ter perseverança e encorajamento para que possamos ter esperança. Quando você tem esperança de tomar boas decisões e ter bons pensamentos, essa ferramenta o ajudará sempre.

■ **Dê a si mesmo uma oportunidade de pensar novamente sobre algo.** Afinal, você pode ter uma idéia melhor! E a boa notícia sobre crescer e mudar seu pensamento é que você pode sempre pensar de uma nova maneira. Você tem outra chance para tomar uma decisão melhor do que aquela que tomou da última vez. Você, provavelmente, gostou dessa idéia quando tentou tomar algo como suco de caju, mas descobriu que gosta mais de suco de abacaxi. O mesmo princípio funciona para outras partes de sua vida. Você nunca é obrigado a pensar de uma única forma. Com Jesus, você sempre pode ter outra chance.

■ **Pense sobre Jesus**. Você já deve ter ouvido a famosa frase: "O que Jesus faria"? A Bíblia diz isso de outra forma: *Pense sobre o exemplo de Jesus* (Hebreus 12.3 – NKJV). Quando você está fazendo uma escolha, esforce-se para imaginar o que Jesus diria ou como Ele agiria na situação em que você está. Lembre-se do seu amigo que começou a fumar e pense nisso com os olhos de Jesus. O que Jesus diria a seu amigo? O que Jesus diria a você? Pense sobre essas coisas.

■ **Não queira se desviar**. Em Hebreus, há um conselho para você guardar as coisas que aprendeu. Não deixe que ensinos estranhos o desviem, levando-o seguir um caminho errado. Seu coração deve ser fortalecido pela graça de Deus (veja Hebreus 13.9). Em outras palavras, você tem a resposta dentro de seu coração. Deus já lhe deu a direção de que precisa.

Agora você já tem uma bela caixa cheia de ferramentas. Se você carregá-la consigo por onde for, isso o ajudará a pensar da forma certa. Isso o ajudará em seu campo de batalha: no pátio do recreio, na classe, numa festa na casa de seu amigo. Você precisa estar bem preparado se quiser vencer essa batalha, e ter essas ferramentas é somente uma parte da solução.

Vamos prosseguir e ver o que aqueles balões cheios de velhos pensamentos estão mostrando.

Capítulo 2

Estourando os balões de alguns velhos pensamentos

Algumas vezes é difícil perceber exatamente o que você pensa a ponto de transformar seus pensamentos certos em atitudes certas! Quando o personagem de nossa história teve de decidir entre ir ao cinema com seus amigos ou ficar em casa e estudar para a prova de Ciências, sua primeira decisão foi ir ao

cinema. Por quê? Ele não quis desapontar seus amigos e não quis fazer parecer que a escola era mais importante do que eles. O que pensariam dele? E assim ele não conseguia decidir o que fazer.

A batalha em sua mente e em sua maneira de pensar permanecerá durante toda a sua vida, mas isso pode torná-lo especialmente louco, agora que você está na escola. Sua mente, provavelmente, pulará, saltará e se desviará para uma centena de direções, podendo deixá-lo confuso sobre o que você realmente pensa, sente e quais são suas opções.

Chamo isso de ter uma "mente confusa", e você certamente sabe do que estou falando. Quando uma mente é confusa, não somente ela parece viajar para todos os lugares buscando respostas antes mesmo de saber as perguntas, mas também não consegue perceber o que é normal e como focar na direção certa. Assim você estará numa "fria" porque, se você não sabe aonde ir, não poderá chegar a lugar algum.

O Campo de Batalha da Mente para Crianças

Algumas vezes, penso em 5 ou 6 coisas ao mesmo tempo... Ai de mim!

A Bíblia coloca isso da seguinte maneira em Tiago 1.5-8:

Mas, se alguém tem falta de sabedoria, peça a Deus, e ele a dará, porque é generoso e dá com bondade a todos. Porém peçam com fé e não duvidem de modo nenhum, pois quem duvida é como as ondas do mar, que o vento leva de um lado para o outro. Quem é assim não deve pensar que vai receber alguma coisa do Senhor, pois não tem firmeza e nunca sabe o que deve fazer.

Isso se parece com você de alguma forma? Você pensa duas coisas ao mesmo tempo e se sente incapaz de decidir o que fazer?

Se for assim, o que você deve fazer? De acordo com Tiago, você deve pedir sabedoria a Deus. O que é sabedoria? É ajuda em letras maiúsculas: A-J-U-D-A! Você diz a Deus que não sabe o que deveria fazer na situação em que se encontra e que precisa de ajuda e sabedoria para fazer uma boa escolha.

Fazendo escolhas confusas

Vamos dizer que você esteja na dúvida se deve ir a uma festa ou não. Você sabe que a garota mais popular da escola está fazendo a festa. Você sabe que ela tem um irmão mais velho que pode acabar com a festa com alguns amigos dele, e se sua mãe soubesse disso nunca a deixaria ir. Você pensa que talvez se ela não soubesse a respeito do irmão mais velho tudo estaria bem e você poderia ainda ir à festa.

Sua mente começa a se enredar nessa confusão, e antes que você perceba já está presa como a vítima de uma aranha numa teia, enquanto você tenta decidir o que fazer.

Vamos imaginar que agora você esteja lendo a história de outra pessoa e deva escolher seu próprio final para essa situação. Vamos supor que a história seja essa descrita acima e, então, você possa escolher entre o final número 1, número 2 e número 3. Calma! Você não deve ficar confusa ainda!!!

A história

"Mamãe, fui convidada para uma festa na casa de minha amiga Shari. É aniversário dela, e ela convidou apenas alguns meninos e meninas para um bolo e brincadeiras. Você pode me levar sexta-feira à noite e me buscar? Está tudo bem se eu for?"

"Os pais da Shari estarão em casa"?, sua mãe pergunta.

"Certamente, mãe. Eles são pessoas muito legais, e estou certa de que você gostaria deles. Shari disse que você poderia ligar para a mãe dela para saber sobre a festa, se você quiser".

"Bem, acho que não será necessário", sua mãe diz com um sorriso. "Você pode ir e divertir-se. Sairemos amanhã para escolher um pequeno presente para ela".

"Obrigada, mamãe, será muito legal".

Quando Sally deixa a cozinha após ter conversado com sua mãe, ela se lembra da sua preocupação com o irmão mais velho de Shari aparecendo na festa com outros meninos mais velhos. Ela se pergunta se deveria contar essa parte à sua mãe ou não.

Sally vai para seu quarto e liga para sua amiga Shari. Ela lhe conta que sua mãe a deixou ir à festa, e sua amiga fica contente. Sally pergunta se os pais de Shari estarão presentes, e sua amiga responde: "Bem, não, eles sairão parte da noite, mas meu irmão mais velho estará aqui, e ele já tem dezoito anos, e assim tudo estará bem".

Sally desliga o telefone e decide...

Final número 1

Sally desliga o telefone e decide guardar essa informação para si mesma. Afinal, o que estaria errado? Sua mãe nunca sabererá.

Sally vai à festa, e está tudo bem até os amigos do irmão de Shari começarem a mexer no bar da casa e oferecer drinques aos meninos menores. As coisas começam a ficar estranhas e Sally não sabe o que fazer. Sua amiga Shari diz que ela está parecendo um bebê por mostrar-se tão preocupada. É apenas um pouco de bebida. Quando uma menina de dez anos desmaia no chão, Sally realmente se assusta e liga para sua mãe vir buscá-la. Ela apenas disse à sua mãe que não estava se sentindo bem e nunca lhe contou uma palavra sobre o que realmente aconteceu.

Final número 2

Sally desliga o telefone e decide que é melhor contar à sua mãe que os pais de Shari não estarão na festa. Ela sabe que sua mãe não ficaria bem se ela fosse à festa em tais circunstâncias e não acha correto deixá-la sem saber.

"Mamãe", Sally diz, com a voz baixa, "acabo de descobrir que os pais da Shari estarão fora boa parte da noite enquanto a festa estiver acontecendo. Mas ela disse que seu irmão que tem dezoito anos, estará lá para cuidar das coisas. Você ainda concorda que eu vá?"

"Sally, sei quanto você gostaria de ir a essa festa, mas não acho bom um grupo de crianças numa casa sem supervão. Não acho que o irmão de Shari ajudaria se alguém passasse mal ou se metesse em confusão. Você se importa se eu ligar para a mãe da Shari para conversar sobre isso antes de decidirmos"?

"Oh, será ótimo. Estou certa que a senhora Peterson ficará feliz em falar com você sobre isso".

A mãe de Sally liga para a senhora Peterson e descobre que eles realmente só estarão fora na primeira hora da festa. Mas, além do filho mais velho, a senhora Peterson ligou para sua mãe, a avó de Shari, para ficar ali na festa.

É permitido que Sally vá à festa com a consciência limpa, e ela se diverte bastante.

Final Número 3

Sally desliga o telefone e decide que será melhor contar à sua mãe que os pais de Shari não estarão em casa. Quando ela faz isso, sua mãe lhe diz que não há como Sally ir à festa porque ela é muito jovem para ir a uma festa desse tipo, e o irmão mais velho de Shari não seria a pessoa ideal para cuidar dos outros convidados.

Sally fica chateada com sua mãe e decide enganá-la e ir à festa de qualquer jeito. Sally diz à sua mãe que vai à casa de outra amiga que também não pode ir à festa. Sua mãe acha boa essa alternativa e leva Sally à casa da sua amiga Margie.

Margie e Sally vão à festa, embora nenhuma das duas pudesse ir. Elas vêem o pastor Jones cortando a grama enquanto passam em frente à casa dele, e ele as cumprimenta. Sally sente uma pontada de culpa.

Elas vão à festa, e as coisas parecem tranqüilas a princípio, até que um dos meninos começa a brigar com outro. Antes que Sally perceba o que está acontecendo, a comida está voando pelo ar e tem pizza grudada até no teto, antes mesmo que o irmão de Shari consiga colocar as coisas sob controle.

Sally se sente realmente mal pela bagunça na casa e, enquanto ela tenta convencer Margie de que elas deveriam sair, os pais de Shari chegam. Eles interrompem a festa e chamam todos para a sala. Eles lhes dizem que ligarão para os pais de cada um para marcar um horário para as crianças voltarem ali e ajudá-los a arrumar aquela confusão. O coração de Sally parece que vai parar.

A mente confusa de Sally

Por que Sally tinha uma mente confusa? Ela sabia as coisas certas a fazer?

Sally sabia em seu coração o que ela deveria ter feito. Ela ficou confusa quando tentou dar a si mesma razões ou desculpas para pensar algo além do que já sabia ser a coisa correta. Deus não nos deu espírito de confusão (veja 1 Corintios 14.33) e, assim, podemos

perceber imediatamente que, quando há confusão, significa que o Enganador está por perto, tentando nos levar a tomar a decisão errada. Se você sabe o que fazer em seu coração, isso significa que o Espírito de Deus está tentando ajudá-lo a tomar uma boa decisão. Se você não quer ouvir o que Deus está dizendo, será fácil encontrar algumas boas desculpas flutuando em seu cérebro, e elas sempre lhe darão permissão para fazer a coisa errada. Você precisa estourar esses balões das desculpas agora mesmo!

O demônio da dúvida

Outra forma de você ter uma mente confusa é quando você caminha na dúvida em vez de caminhar na verdade ou na alegria ou no amor. A dúvida surge como formigas num piquenique, todas as vezes que você deixa a porta aberta. Seu trabalho é enxergá-las tão rapidamente quanto possível e fechar aquela porta novamente.

Deus lhe deu uma ferramenta para ajudá-lo a se livrar da dúvida, que é chamada de "medida de fé". Essa medida de fé é a quantidade específica de habilidade para você conseguir acreditar e confiar em algo ou em alguém.

Quando você se sente feliz e confiante e tudo está correndo do jeito que quer, então está num lugar espaçoso, sentindo que Deus é realmente legal, que Ele controla todas as coisas, e nessa situação você não sente dúvida ou preocupação alguma no mundo.

Mas quando você tem um dia ruim, acaba de ir mal na prova de Matemática, não jogou bem na aula de Educação Física e acaba de descobrir que haverá ervilhas no almoço, a dúvida chega e o encosta na parede.

A dúvida jogará todo tipo de meias-verdades sobre você. Ela o fará acreditar que você mereceu falhar em Matemática porque não estudou o suficiente, e não somente isso, ela o convencerá de que, na verdade, você nunca será bom em Matemática e, assim, por que tentar? Ela saltará em cima do seu sanduíche e o lembrará de que você nunca foi um grande atleta e, certamente, nunca fará parte da equipe A de vôlei porque não é bom o suficiente. Em seguida, ela mergulhará dentro do seu *milk-shake* de chocolate e vai lembrá-lo de que sua mãe está fazendo fígado acebolado para o jantar, porque ela não se importa muito com você.

A dúvida é a vilã

A dúvida quer controlar seus pensamentos para que você pare de esforçar-se para fazer a coisa certa ou tornar-se tudo o que Deus sabe que você deve se tornar. Se a dúvida puder detê-lo enquanto você ainda está no quinto ano, imagine a diversão que ela terá quando você estiver no segundo grau!

O que você pode fazer?

Assim, o que você fará? Qual ferramenta você deve ter para se livrar da dúvida? Volte para a sua medida de fé. Qual é o tamanho da sua fé? Se você tiver a medida de fé equivalente a um centavo, não será forte o suficiente para livrar-se das dúvidas. Você precisa aumentar sua fé, crescer em sabedoria e louvar a Deus além da medida para que se torne mais forte e mais bem equipado para lutar contra a dúvida quando ela chegar.

O texto de 1 Pedro 5.8-10 diz:

Estejam alertas e fiquem vigiando porque o inimigo de vocês, o Diabo, anda por aí como um leão que ruge, procurando alguém para devorar. Fiquem firmes na fé e enfrentem o Diabo porque vocês sabem que no mundo inteiro os seus irmãos na fé estão passando pelos mesmos sofrimentos. [...] O Deus que tem por nós um amor sem limites e que chamou vocês para tomarem parte na sua eterna glória, por estarem unidos com Cristo, ele mesmo os aperfeiçoará e dará firmeza, força e verdadeira segurança.

Faça sua medida de fé esticar. Quanto sua fé está forte hoje? Estoure aqueles balões demoníacos de dúvida agora mesmo.

Uma mente sonolenta

Quando você se sente sonolento, não está especialmente interessado naquilo que está acontecendo ao seu redor. Você não é capaz de prestar atenção na aula de Inglês, não é capaz de ouvir o pastor enquanto ele prega o sermão semanal e pode nem prestar muita atenção naquilo que seu melhor amigo está falando neste exato momento. Estar sonolento significa que você não está alerta. Chamo essa condição de "mente passiva".

Algumas vezes, você realmente está com sono, e não estou falando simplesmente em estar cansado depois de um longo dia. Estou falando sobre não se manter alerta contra o inimigo e não estar atento para o que Deus quer que você saiba. Você tem de prestar atenção nas coisas que encherão os espaços vazios em sua mente. Quando sua mente está vazia, é fácil enchê-la com todo tipo de pensamentos que não prestam.

O que você deve fazer para despertar?

Você precisa ter certeza de que sua mente está cheia de pensamentos bons. Quando pensamentos bons estão enchendo seu cérebro, não há lugar para pensamentos ruins permanecerem. Eles tentarão entrar, mas verão o esquadrão de Deus agindo ali e não se importarão em fugir. Sua melhor ferramenta é estudar a Palavra de Deus e orar.

Você pode pensar que NÃO precisa fazer essas coisas e pode permanecer sonolento, desde que não entre em qualquer confusão ou faça qualquer coisa que possa ser considerada errada. Mas quer saber da verdade? Se você pensa que não está fazendo nada errado quando não estiver fazendo nada, você precisa pensar melhor sobre isso.

Algumas vezes os problemas marcham em sua mente e permanecem ali simplesmente porque eles podem ver que nada mais está naquele lugar. É fácil para eles começar a jogar coisas em sua mente porque você lhes deu bastante espaço para isso.

Por que a ler a Bíblia ajuda?

Efésios 6.10-13 diz:

Para terminar: tornem-se cada vez mais fortes, vivendo unidos com o Senhor e recebendo a força do seu grande poder. Vistam-se com toda a armadura que Deus dá a vocês, para ficarem firmes contra as armadilhas do Diabo. Pois nós não estamos lutando contra seres humanos, mas contra as forças espirituais do mal que vivem nas alturas, isto é, os governos, as autoridades e os poderes que dominam completamente este mundo de escuridão. Por isso

peguem agora a armadura que Deus lhes dá. Assim, quando chegar o dia de enfrentarem as forças do mal, vocês poderão resistir aos ataques do inimigo e, depois de lutarem até o fim, vocês continuarão firmes, sem recuar.

Ler a Bíblia faz parte de colocar sua armadura, ou seu colete de proteção, para que você saiba como lutar contra os pensamentos ruins que podem surgir. Quando você está sonolento, não é um bom lutador, pois não está muito forte nem alerta. A Bíblia lhe dá ferramentas para lutar.

O que é orar, e como isso pode ajudar sua maneira de pensar?

Você, provavelmente, tem feito certos tipos de oração desde que era um bebê. Você deve ter orado à noite, talvez com seus pais, e, também, feito orações antes das refeições. Também pode ter feito uma oração de gratidão quando se sair bem no exame que pensava que não se sairia. Então, você sabe que existem várias formas de orar e vários tipos de oração.

Enquanto você está crescendo, é compreensível que muitas das suas orações sejam em forma de pedidos, buscando ajuda de Deus na escola ou em assuntos da família ou amigos. Essas são orações importantes.

Algumas das suas orações podem também ser de gratidão, quando você agradece a Deus pelas boas coisas que acontecem em sua vida. Porém, o tipo de oração de que queremos falar a respeito é aquela que ajuda a ajustar sua maneira de pensar.

Pedindo que seja feita a vontade de Deus

Você vai a Deus nesse tipo de oração pedindo especificamente para alinhar seu pensamento com os planos dEle para sua vida. Você está realmente colocando-se de lado e pedindo que somente a vontade de Deus seja feita. Essa é uma oração que revela que uma pessoa cresceu espiritualmente. Até muitos adultos têm dificuldade em fazer uma oração assim. Se você quer aprender a pensar de acordo com a vontade de Deus e o propósito dEle para sua vida, então essa é uma ótima oração para se fazer.

Vamos observar um exemplo desse tipo de oração.

A primeira coisa que você tem de saber é que não conseguirá ajustar os planos e os pensamentos de Deus para sua vida simplesmente ao buscar isso num jornal ou em qualquer outro lugar fora de si mesmo. De fato, você precisa olhar para o seu próprio coração e ver como realmente se sente sobre aquilo que deseja orar.

Esse tipo de oração de "coração para coração" é o mais especial que você pode fazer. Você está dizendo a Deus que fala sério sobre obter a melhor resposta possível e que realmente quer pensar de forma mais parecida com o pensamento de Jesus. Essa oração diz que você quer que seus pensamentos sejam certos e que deseja pensar o mais claramente possível.

Falando com Deus

Ao falar com Deus,
tenha certeza que receberá.
Ele lhe dará alegria
e paz de mente.
Ele ouvirá seus pensamentos
e clareará seu caminho.
Cuidará das necessidades
que você tem hoje.

Aqui está um exemplo desse tipo de oração. Vamos ver o que Joe fez.

O Campo de Batalha da Mente para Crianças 29

Joe acabou de descobrir, na hora do jantar, que a empresa em que seu pai trabalhava estava sendo transferida para outra cidade. Ele e sua família terão de se mudar em um mês. Joe não estava feliz. Na verdade, ele estava furioso. Ele fazia parte da banda da escola e da equipe de debates, e não estava preparado para deixar seus amigos de forma alguma. Ele simplesmente declarou que não queria ir.

Ele disse a seu pai e a sua mãe que achava isso absolutamente absurdo. Após gritar que não ia e ponto final, subiu zangado para o seu quarto.

Após um tempo, sua mãe subiu as escadas e bateu à porta.

Ela lhe disse que também estava triste porque eles tinham de partir, mas não havia muito o que fazer, já que o trabalho de seu pai era a principal fonte de sustento da família. Joe permaneceu aborrecido, mas, enquanto sua mãe estava saindo do quarto, ela lhe deu uma sugestão. "Por que você não tenta falar sobre isso com Deus"?

A princípio, Joe não estava certo de que realmente se importava com o que Deus pensava, mas, à medida que a noite seguia, ele decidiu que não tinha muito a perder. Afinal, o dia seguinte chegaria e ele teria de dizer a todos os seus amigos que se mudaria para uma cidade a oito horas de distância, indo de carro. Suas primeiras tentativas de oração não foram muito boas.

Sua ira permanecia, e ele descobriu-se, simplesmente, pedindo a Deus para mudar tudo aquilo para que eles pudessem continuar ali. Ainda não se sentindo melhor com orações como essas, ele decidiu parar de ficar bravo e simplesmente dizer a Deus o que estava em seu coração. Nesse ponto, as orações de Joe mudaram. Sua nova oração soava como algo assim: "Ei, Deus. Não estou me sentindo muito feliz neste momento. Meu pai disse que teremos de nos mudar para outra cidade, e sei que perderei meus amigos. Se houver alguma coisa que o Senhor possa fazer para mudar isso, gostaria que o Senhor o fizesse. Se o Senhor puder me ajudar a enfrentar isso e até mesmo me ajudar na maneira como estou me sentindo, será muito bom. Sei que o Senhor quer o melhor para toda minha família. Obrigado por me ouvir. Amém".

Você viu o que Joe fez agora? Você pode fazer isso também. Essa oração mostra o esforço de Joe para alinhar seu pensamento com o pensamento de Deus. Pode levar algum tempo para ele conseguir isso, mas Joe já deu o primeiro passo, e Deus certamente o ajudará. Ele fará o mesmo por você.

Esteja certo de incluir orações para "pensar da forma certa" em sua caixa de ferramentas.

Capítulo 3
Eu ouvi dizer por aí...

Qual é o papo que rola pelos corredores da escola?

Você já brincou de um jogo chamado *Telefone sem fio*, em que uma pessoa sussurra algo no ouvido de alguém sentado ao lado dela e, então, ele passa a mesma palavra para a próxima pessoa, e a idéia original vai correndo pela sala até que a última pessoa diga qual era a frase?

Por exemplo, eu começo o jogo com algo como: "Cobertura de chocolate, realmente, é delicioso com sorvete, banana e castanha". Mas, à medida que a frase vai sendo passada de um para o outro, a última pessoa que repete a frase diz algo como: "O motorista da camionete fez uma curva perigosa, atropelou as bananas e subiu a montanha".

Algumas vezes você pensa que alguém disse ou que ouviu alguém dizer e, então, se preocupa com isso, e mais tarde descobre que nem era verdade. Você pode até mesmo descobrir que quando a fofoca o alcançou ela tinha sido esticada tal qual uma goma de mascar, e nem mesmo foi o que realmente a pessoa que começou a coisa queria dizer. Os corredores da escola são um grande ambiente para coisas como essa.

Essa coisa chamada fofoca

Vejamos algo que acontece o tempo inteiro na escola: essa coisa chamada fofoca. Se alguém espalhasse fofocas sobre você, como você deveria agir? Ou, e se alguém tentasse lhe contar uma fofoca, o que você deveria fazer?

A fofoca é geralmente maliciosa. Alguém que começa uma fofoca geralmente não está elogiando outra pessoa, embora isso possa acontecer. A fofoca visa criticar ou preocupar alguém. Geralmente acontece quando um menino ou menina está com raiva ou sente inveja de outro. Qualquer que seja a razão, a fofoca é algo detestável e, de fato, machuca muitas pessoas.

A Bíblia diz em Provérbios 18.8: *Os mexericos são tão deliciosos! Como gostamos de saboreá-los!*

Em outro versículo de Provérbios (18.17) está escrito: *Aquele que é o primeiro a fazer a sua defesa parece ter razão, mas só até que a outra pessoa comece a lhe fazer perguntas.*

Decisões sobre a fofoca

É importante que você tenha cuidado com a fofoca, seja ela qual for. Que escolhas você tem a fazer se alguém quiser contar uma fofoca *a* você ou *sobre* você?

Para aqueles que assinalaram o número 1, parabéns!

Diga àquela pessoa que está sendo maliciosa e que deseja falar coisas ruins sobre outra pessoa que você está bastante ocupado pensando em coisas mais positivas. Sugerir que Jesus não gostaria de ouvir o que ela tem a dizer desarmaria essa pessoa na hora! Muito bem!

Para aqueles que preferiram assinalar o número 2, é tempo de pensar melhor. Obter detalhes sobre algo que não deveria estar sendo comentado por aí, especialmente se você pretende passar isso adiante, significa que você não está pensando com o coração.

Você se esqueceu de uma *grande* regra: *Façam aos outros o que querem que eles façam a vocês* (Mateus 7.12). Você também precisa se lembrar de que aqueles que lhe falam sobre os outros também falarão aos outros *sobre você*.

Para aqueles que assinalaram o número três... Uau! Parabéns mesmo! Defender alguém ou um amigo que está sendo criticado injustamente por outros é algo muito bom. Após defender a pessoa em questão, esteja certo de não passar adiante as coisas que você ouviu, mesmo ao seu melhor amigo. Algumas vezes, passamos a fofoca adiante ao simplesmente compartilhar nossa "preocupação" com alguém. Você sabe, o tipo de coisa que você começa ao dizer "Você soube que Maria..." e agora seu amigo sabe algo sobre a Maria que ele não sabia antes. Tome cuidado com esse tipo de comunicação porque ela o coloca diretamente no caminho da fofoca.

Pratique uma forma de pensar igual à de Jesus

Assim, quando alguém se aproxima de você com um delicioso bocado de fofoca, é tempo de praticar uma maneira de pensar mais parecida com a forma de pensar de Jesus. Logo você descobrirá que as pessoas virão a perceber que você não gosta de ouvir suas fofocas, e elas pararão de tentar contá-las a você. A fofoca, então, poderá ser esta: "Nem tente contar isso ao... (seu nome). Ele não gosta de ouvir fofocas. Ele é um desses caras 'seguidores de Jesus'". E daí, não é? Você não se importa de ser considerado um seguidor de Jesus, importa-se?

E se a fofoca for sobre *você*?

Agora, e se a fofoca é sobre você? Provérbios 26.20 diz: *Sem lenha o fogo se apaga; sem mexericos a briga se acaba.* Em outras palavras, se você não atiçar as chamas ou reagir de uma forma que faça com as pessoas pensem que aquilo que ouviram está certo, isso logo acabará. Quando alguém que começa uma fofoca sobre você percebe que eles realmente não obteve o resultado que esperava, fazendo você se sentir mal ou parecer mal, ele vai parar de fazê-lo. Isso simplesmente não valerá a pena. O fogo se apagará.

Mas por que a fofoca é tão destrutiva? Afinal, qual o problema em passar adiante algo que você ouviu sobre alguém, mesmo se não sabe se isso é verdade ou não?

Vamos fazer um pequeno jogo da verdade ou mentira. Sua tarefa é decidir se cada uma das declarações abaixo é verdadeira ou falsa. Então, você tem de decidir se acreditará na declaração ou não. Está pronto?

Declaração número 1

Quero ser o representante da classe e farei tudo para ganhar. Não me importo com os outros. Meu papel é ser um vencedor.

Declaração número 2

Se quero ser popular, tenho de fazer o que os meninos populares estão fazendo, mesmo se não concordar com eles.

Declaração número 3

Se eu compartilhar más notícias sobre alguém, isso fará com que me sinta melhor, pois agirei como a maioria das pessoas.

Sendo um vencedor

Assim, tudo o que você espera é ser o representante da classe, ou parte da equipe de natação, ou qualquer outra coisa, de modo que possa competir com outros para obter o lugar, e, então, o que você faz? É mais importante ganhar e não se preocupar com os outros meninos? Você simplesmente faria o que precisasse, mesmo se isso não fosse totalmente honesto?

O que a fofoca popular diria para fazer? O que Jesus diria? Como você deve pensar sobre isso?

Qual é o pensamento correto?

Você tem de começar com o pensamento certo. Você tem de começar com Jesus e um padrão de pensamento que possa lhe dar uma direção clara. Gálatas 5.25-26 coloca o assunto da seguinte forma: *Que o Espírito de Deus, que nos deu a vida, controle também nossa vida! Nós não devemos ser orgulhosos, nem provocar ninguém, nem ter inveja uns dos outros.* Quando você estiver competindo, faça-o da forma justa. Faça tudo baseado em seus valores e princípios e naquilo que você acredita que irá contribuir para a equipe e para o grupo. Faça-o de forma que você sinta a bênção de Deus porque está agindo de acordo com a vontade e o propósito dEle para sua vida.

Seja um vencedor aos olhos de Deus

Faça o que precisar para ser um vencedor aos olhos de Deus e você estará no topo o tempo todo. A boa notícia é que você não tem de ser uma estrela para vencer com Ele. Você já é a luz de Deus no mundo. Você já é a história de sucesso de Deus cada vez que escolhe estar no time dEle.

Sendo popular

É bom ser popular. É gostoso ser alguém que todos conhecem ou de quem as pessoas querem estar perto e convidar. Isso é demais, ou parece ser assim para todos que estão do lado de fora da vida de alguém popular. O que realmente está acontecendo do lado de dentro? O que está acontecendo na mente daqueles que parecem fazer tudo para ser populares? Isso merece que você venda a sua alma?

Ser popular parece significar que você pensa que tem poder, que pode obter o que quiser, que pode conseguir que as pessoas façam o que você quer, que pode se sentir importante na escola, e assim por diante.

Mas quando você é a pessoa popular, algumas vezes se esquece de ser a pessoa que também pode pensar e agir independentemente do grupo.

O problema de pensar como o grupo

Hoje, existem muitas gangues de jovens por aí. Um dos motivos para isso é que garotos compraram a idéia de que certos membros do grupo têm o poder e, se eles querem ter qualquer poder também, têm de ser parte da gangue. Eles acreditam que se o grupo faz alguma coisa deve estar certo. Mas você conhece a velha história: "Se todos estão saltando ou correndo ou bancando os bobos, você também deve fazer o mesmo"?

Estão todos pensando da forma errada

O que é triste nesse tipo de comportamento é que isso está completamente errado. Uma vez que você se torna parte da gangue e desiste de sua habilidade de pensar por si mesmo, você perde poder. De fato, você perde a si mesmo e estará em mais problemas do que pensa.

Gálatas 6.1-5 diz:

Meus irmãos, se alguém for apanhado em alguma falta, vocês que são espirituais devem ajudar essa pessoa a se corrigir. Mas façam isso com humildade e tenham cuidado para que vocês não sejam tentados também. Ajudem uns aos outros, e assim vocês estarão obedecendo à lei de Cristo. A pessoa que pensa que é importante, quando, de fato, não é, está enganando a si mesma. Que cada pessoa examine o seu próprio modo de agir! Se ele for bom, então a pessoa pode se orgulhar do que fez, sem precisar comparar o seu modo de agir com o dos outros. Porque cada pessoa deve carregar sua própria carga.

É bom ser popular. É bom ser estimado, mas ser estimado pelo que você realmente é como filho de Deus. Seja um líder ao compartilhar seu sorriso, sua bondade, sua amizade e sua fé com aqueles que estão ao seu redor.

Dizer a verdade sobre quem você é lhe dará a liberdade de ser você mesmo. Quando você não concorda com as opiniões dos outros, é bom dizer isso. De fato, você *deve* dizer isso para que se torne uma verdade até para si mesmo.

Saia da multidão!

Vivemos num mundo no qual se recompensa o conhecimento. Conhecimento significa poder, ou, pelo menos, assim nos dizem. Se soubermos algo que outras pessoas não sabem, temos uma vantagem sobre elas. Essa é a forma como o mundo pensa.

Como você pensa?

E como *você* pensa? Qual é a vantagem de saber quando é melhor estar do lado de fora da multidão e não tentar arduamente fazer parte dela?

Quando você consegue perceber isso, obtem

e a informação mais poderosa que o mundo já conheceu. Você tem a chave para a salvação e para a vida eterna!

Sua maior arma para a batalha

Uma das suas maiores armas é a Palavra. João 8.31-32 diz: *E se vocês continuarem a obedecer aos meus ensinamentos, serão, de fato, meus discípulos e conhecerão a verdade, e a verdade os libertará.*

Você deve obter o conhecimento da verdade de Deus em seu coração e renovar sua mente com a Palavra dEle. Se você quer ser esperto, ter conhecimentos, saber das coisas, obtenha o conhecimento da Palavra de Deus. Conheça Deus, e você terá poder verdadeiro.

Conheça Jesus

Se você não está certo sobre isso, conheça Jesus. Se você não conhece Jesus muito bem, peça à sua família ou ao seu pastor que fale mais sobre Jesus com você. Jesus é seu amigo. Ele está pronto para orientá-lo sempre que você pedir a ajuda dEle. Ele morreu por você. Ele o ama assim como você é.

Não seja enganado. Não deixe alguém tentar mudar sua mente. Use a sabedoria verdadeira que vem da oração e da leitura da Bíblia e guarde seu coração e sua mente em Cristo Jesus.

Se você quer compartilhar algumas notícias, compartilhe as Boas Novas. Você tem um chamado de Deus para fazer isso. Deixe a fofoca, as más notícias e o pensamento errado de lado. Você não precisa disso. Deixe sua luz brilhar nos corredores da escola.

Epa! Cuidado com esses espíritos de confusão...

Se você já assistiu a qualquer filme da série *Guerra nas Estrelas* ou qualquer série da TV, já deve ter visto a batalha que sempre se trava entre o bem e o mal. Somos bombardeados com coisas que podem tirar nossa mente do caminho, e não precisamos encontrar com *Darth Vader* (NT: vilão da série *Guerra nas Estrelas*) para fazer isso acontecer. Tudo nas revistas, rádios e comerciais de TV ataca seu pensamento e torna mais difícil para você perceber o que realmente é bom e o que não é.

Então, como é que você protege sua mente?

É importante proteger sua mente, assim como você protege seu corpo de invasores externos. Você lava suas mãos antes das refeições para que nenhum germe contamine sua comida e prejudique seu corpo. Ensinaram-lhe regras de segurança, saúde e outras para protegê-lo quando você tem de sair de casa. Bem, e o que mais? Sua mente também precisa de proteção extra. Ela precisa de um revestimento especial de borracha que faça os lixos que saltam sobre ela pular para fora, mantendo você em segurança na sua maneira de pensar. Você precisa vestir o capacete da salvação por onde for.

Você precisa colocar toda a armadura de Deus.

Efésios 6.11-17 diz:

Vistam-se com toda a armadura que Deus dá a vocês para ficarem firmes contra as armadilhas do Diabo. Pois nós não estamos lutando contra seres humanos, mas contra as forças espirituais do mal que vivem nas alturas, isto é, os governos, as autoridades e os poderes que dominam completamente este mundo de escuridão. Por isso peguem agora a armadura que Deus lhes dá [...] Portanto, estejam preparados. Usem a verdade como cinturão. Vistam-se com a couraça da justiça e calcem, como sapatos, a prontidão para anunciar a boa notícia de paz. E levem sempre a fé como escudo, para poderem se proteger de todos os dardos de fogo do Maligno. Recebam a salvação como capacete e a palavra de Deus como a espada que o Espírito Santo lhes dá.

Deixando você totalmente confuso

Quais são algumas das coisas que podem ser atiradas sobre você por intermédio desses espíritos de confusão? Vamos observar alguns exemplos dos pensamentos que eles atiram e ver o que pode ser feito para mantê-los fora da sua cabeça.

■ Quem você pensa que é? Você não pode compartilhar sua fé com ninguém. Eles pensarão que você é maluco.

■ Por que você está orando para passar naquela prova? A oração de nada adiantará para você.

■ Você sabe que realmente não precisa se levantar para ir à igreja. Seus amigos costumam dormir no domingo pela manhã.

■ Você realmente não acredita que seus pais levam a sério toda essa bobagem religiosa, acredita?

Espíritos de confusão

Esses espíritos querem confundir você ao fazê-lo pensar que tudo aquilo em que você acredita realmente não é verdade. Eles querem fazê-lo sentir que você jamais poderá influenciar o resto do mundo. Se permitir que eles tomem conta do seu pensamento, acabará sem saber até mesmo no que você realmente crê.

Como cristão, você tem de decidir aquilo em que vai crer. Embora você ainda seja jovem, sua fé já é forte e você sabe coisas em seu coração que não são compreendidas plenamente pela sua mente. Você já teve as sementes da verdade implantadas dentro de si, e elas permanecerão crescendo durante toda a sua vida se você alimentá-las.

Assim, o que você deve fazer?

Você deve orar para que esses espíritos saiam em nome de Jesus. Você tem de dizer em alta voz: "Eu venho contra esses pensamentos falsos e espíritos aprisionadores em nome de Jesus". Esses dardos inflamados cairão aos seus pés e o deixarão em paz. Você deve permanecer firme com seu escudo da fé, e os enganos do diabo não serão capazes de aproximar-se. Afinal, você tem a armadura de Deus para protegê-lo. Você está muito mais protegido do que se tivesse uma roupa de borracha ou caminhasse dentro de uma grande bolha. De fato, qualquer super-herói desejaria ter o que você tem!

Pensamentos contrários aos espíritos de confusão

■ **A verdade é que você sabe exatamente quem você é.** Você é um filho de Deus e pode compartilhar sua fé porque Deus fortalecerá seu espírito para fazê-lo. Quando chegar o momento certo para a pessoa com quem você compartilha sua fé, ela crescerá na fé também. Essa é a maneira como funciona. Estamos numa família que permanece alcançando outros para fazerem parte dessa família também.

■ **Orar é a melhor arma que você tem.** Você deve sempre se sentir livre para orar sobre qualquer situação. Você pode orar sobre uma prova, um amigo, sua família e sobre tudo o mais que você sentir que é importante orar. Esse é um dos benefícios adicionais de estar ligado ao Pai de amor celestial.

■ **Você pertence a uma igreja.** Você pode nem sempre sentir vontade de ir à igreja no domingo pela manhã. Contudo, provavelmente, você já percebeu que quando vai à igreja se sente muito melhor o resto do dia. Seu coração fica mais leve, seu espírito tem mais paz e o mundo parece um pouco melhor. Deixe que seus amigos durmam. Você precisa ir à igreja!

■ **Se seus pais são cristãos, eles podem ajudá-lo.** Você vai à igreja com seus pais desde que você nasceu. Você foi batizado e colocado ao cuidado deles para que eles pudessem ajudá-lo a alimentar sua fé, assim como sua mente e seu corpo. Seus pais talvez tenham sido crentes na maior parte da vida, e nada mudaria isso. Seus pais são seus aliados e estão orando para que você cresça e se torne tudo aquilo que Deus planejou para sua vida. Se esse é o seu caso, então abençoe seus pais e agradeça-lhes pelo que eles têm feito por você.

No futuro, quando esses espíritos de confusão começarem a importuná-lo, mentindo e fazendo-o sentir-se confuso interiormente, lembre-se disto: você pode combatê-los gritando o nome de Jesus em alto e bom som. Eles não podem permanecer nem mesmo por um momento diante da glória do Senhor Jesus. Você tem a verdade dentro de si, e ela o libertará.

Filipenses 4.5-7 diz:

Sejam amáveis com todos. O Senhor virá logo. Não se preocupem com nada, mas em todas as orações peçam a Deus o que vocês precisam e orem sempre com o coração agradecido. E a paz de Deus, que ninguém consegue entender, guardará o coração e a mente de vocês, pois vocês estão unidos com Cristo Jesus.

Aqui está uma pequena lista de verificação que você pode usar para ajudá-lo quando se sentir confuso por esses espíritos de confusão. Há nela algumas referências bíblicas, algumas idéias para ajudá-lo a esclarecer seu pensamento e algum espaço para você preencher com suas próprias idéias.

Lista de verificação para quando os espíritos de confusão perturbarem seus pensamentos

1. Ore: "Querido Jesus, por favor, proteja meus pensamentos. Por favor, permaneça entre minha mente e qualquer mentira que possa estar vindo a ela por meio esses espíritos de confusão".

O Campo de Batalha da Mente para Crianças   **51**

2. Diga em voz alta: "No nome de Jesus, venho contra todo espírito de confusão".

3. Leia Filipenses 4.8-9. Ele é cheio de coisas agradáveis sobre as quais pensar. O texto diz:

> *Por último, meus irmãos, encham a mente de vocês com tudo o que é bom e merece elogios, isto é, tudo o que é verdadeiro, digno, correto, puro, agradável e decente. Ponham em prática o que vocês receberam e aprenderam de mim, tanto com as minhas palavras como com as minhas ações. E o Deus que nos dá a paz estará com vocês.*

4. Fale com sua mãe ou com seu pai ou com um amigo sobre qualquer confusão que você esteja vivendo.

5. Fale com seu pastor ou com seu professor da escola dominical sobre seus pensamentos.

6. Confie que Deus está com você todo o tempo para ouvir as suas orações com relação a qualquer coisa em seu coração e em sua mente.

7. "Mude seus pensamentos e você mudará o mundo", diz Norman Vincent Peale.

8. Quando estiver em necessidade, repita qualquer um dos passos desta lista.

9. Escreva seus pensamentos e preocupações para que você possa orar sobre eles. Deixe um diário ao lado da sua cama e escreva seus pensamentos, a data, o que você orou ou como você se sentiu sobre isso. Então, releia algum tempo depois para descobrir como Deus respondeu às suas orações. Esteja certo de incluir as

respostas também no diário porque elas o renovarão e o fortalecerão quando a necessidade surgir novamente.

10. Lembre-se de quem você é e fixe seus pensamentos em Jesus.

Outra palavra sobre espíritos de confusão pela mídia

Eu simplesmente não poderia finalizar este capítulo sobre espíritos de confusão sem falar também sobre a mídia. Já a mencionei no início deste capítulo, mas quero estar certa de que você percebe que sua mente está sendo bombardeada com muitas informações, e algumas delas estão embaladas num lindo papel de presente para que você possa comprá-la. Nem tudo nesse pacote está destinado a abençoar seu coração, sua mente e sua alma. Você precisa proteger-se dá falsa propaganda porque ela virá contra você todos os dias.

Vamos observar algumas formas como isso acontece em todo lugar ao seu redor. Quem enviaria mensagens que não são totalmente verdadeiras, ou que são verdadeiras em apenas algumas situações, ou destinadas a desviá-lo daquilo que você acredita sobre si mesmo? Aqui estão alguns daqueles que são algumas vezes os perigosos aprisionadores da mente.

■ **Comerciais de TV**. *Compre-me! Compre-me! Compre-me!* Você sabe, aqueles comerciais que o fazem sentir que não pode ficar sem a última, a maior e a mais maravilhosa coisa que eles estão anunciando. Eles são destinados a fazê-lo sentir que se você simplesmente tivesse aquele produto seria o mais talentoso, o mais popular, o mais alegre e quase tudo o mais que você desejar. Eles fazem um monte de promessas vazias, e quando você aceita essa idéia corre o perigo de pensar assim como eles pensam, em vez de pensar por si mesmo.

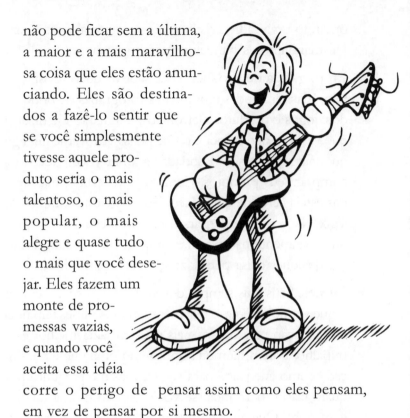

- **Comerciais de rádio.** Sei que você não ouve tanto rádio quanto os garotos da minha época de criança, porque hoje você consegue ouvir música em MP3, computador ou qualquer outro meio. Mas, se você ligar numa estação de rádio, pode ficar extremamente triste ao ouvir os tipos de coisas que os locutores dizem. Esteja consciente de que eles são pagos para prender a atenção das pessoas quanto puderem, e assim, freqüentemente, eles não têm limites para dizer coisas que possam chocar os ouvintes. Você faria melhor ouvindo uma rádio cristã se quiser ouvir alguma coisa. Há maravilhosas bandas cristãs hoje em dia.

■ **Propaganda de revistas**. Você sabe de quais revistas eu falo. Elas têm lindas e brilhantes fotografias de brinquedos, jogos e produtos eletrônicos, e tentarão lhe dizer o que vestir, o que comer e o que pensar. Novamente digo que tais revistas são destinadas a atrair você e levá-lo a comprar seus produtos. Comprar é divertido, mas apenas esteja certo de que você sabe *por que* está comprando algo. Não compre pensando em promessas que o produto realmente não poderá cumprir. Eles tentam disfarçar qualquer coisa para fazer parecer maravilhosa.

■ **Filmes**. Seus pais sempre devem ajudar você a escolher o que ver no cinema, e felizmente muitos filmes têm uma classificação para que os pais possam fazer melhor esse trabalho. Porém há muita bobagem por aí que é classificada como adequada para se ver, mas me pergunto por qual razão é permitida, se você sairá com uma mensagem ruim. Qualquer filme a que você assista precisa vir com uma mensagem que diga: "Isso é simplesmente um filme... não é a vida real". Algumas vezes os filmes podem se parecer com a vida real, mas não são. Se eles tentarem fazê-lo comprometer seus valores ou crenças, estão trazendo uma mensagem errada.

■ **Jornais**. Não sei quanto você observa os jornais além da página de quadrinhos e as propagandas de algum novo produto, mas é bom saber que todo jornal do país está tentando servir a um público diferente e é destinado, de alguma forma, a satisfazer as necessidades dos seus leitores. Em outras palavras, não há reportagem neutra. Isso significa que eles dizem aquilo que acreditam que vão agradar a seus leitores. O objetivo é vender mais jornais. Você tem de ser bastante esperto para saber quando eles estão lhe dando apenas a opinião deles.

■ **Propagandas do computador.** Hoje em dia dificilmente você consegue se livrar das propagandas por onde quer que vá. Não bastam os cartazes pelas ruas, cinemas e estradas. Você terá de lidar com os *pop-ups* (anúncios) que entram em sua tela do computador, vindos de todos os lugares do mundo. As boas notícias e, ao mesmo tempo, as más notícias é que você pode agora obter mais informação do que qualquer criança de antigamente. Mas isso também pode, de fato, confundir sua mente.

Então, como proteger sua mente de tanta sobre carga de informações?

Você precisa voltar à lista de verificação incluída neste capítulo. Comece desde o início e passe por todos os itens até que seu coração e sua mente se sintam seguros novamente. Permaneça atento e você não se desviará do caminho. Você vai conseguir!

Capítulo 5

Pensando no que você está pensando

P ode parecer estranho aconselhar você a "pensar no que está pensando", mas essa é uma idéia importante. Vou explicar por quê.

Domando a mente que gosta de "viajar"

Acredite ou não, sua mente viaja, e antes que você perceba pode estar pensando sobre as coisas mais estranhas. Por que será que, sem nenhuma razão, minha mente pode facilmente começar a pensar coisas como chocolate e sorvete e aquilo que eu gostaria de estar fazendo, em vez de pensar naquilo que realmente estou fazendo? Você sabe como é quando está lendo um livro no qual não está muito interessado e um pensamento diante de você pode estar sugerindo *Que tal um chocolate?*, e você nem mesmo enxerga o que está lendo... Talvez isso aconteça algumas vezes quando você está lendo a Bíblia.

A ajuda que vem da Bíblia

Bem, falando sobre a Bíblia, existem algumas dicas na Palavra de Deus sobre as coisas que nossa mente deveria pensar a respeito. Vamos observar alguma delas para que quando sua mente decidir decolar você possa trazê-la de volta à terra.

Se você observar a Palavra de Deus, especialmente o Salmo 119, terá uma idéia do que pensar a respeito. Começando no versículo 9, o salmista diz:

Como pode um jovem conservar pura a sua vida? É só obedecer aos teus mandamentos. Eu procuro te servir de todo o coração; não deixes que eu me desvie dos teus mandamentos. Guardo a tua palavra no meu coração para não pecar contra ti. Eu te louvo, ó Senhor Deus! Ensina-me as tuas leis. Costumo repetir em voz alta todas as ordens que tens dado. Fico mais alegre em seguir os teus mandamentos do que em ser muito rico. Estudo as tuas leis e examino teus ensinamentos. As tuas leis são o meu prazer; não esqueço a tua palavra. (Salmos 119.9-16).

Vamos observar essa passagem mais atentamente. A pergunta que o salmista está fazendo é a mesma que você pode estar se fazendo: "Como um jovem pode ter uma vida pura" (versículo 9)? Essa é uma boa pergunta; na verdade, é uma grande pergunta, e a resposta vem logo em seguida.

Como um jovem pode viver uma vida pura?

É só obedecer aos teus mandamentos (versículo 9). Obedecer à Palavra de Deus. UAU!

Aí está e parece bastante simples, mas é uma resposta que envolve muitas coisas. Poderíamos observar vários exemplos do que significa obedecer à Palavra de Deus, mas escolhemos alguns para ajudar você a compreender o que significa exatamente... *obedecer.*

E se você tentar e falhar?

Imediatamente, o salmista reconhece o problema. Ele diz: *Eu procuro te servir de todo o coração* (versículo 10). Isso não é verdade? Pense sobre como você tenta e se esforça para obedecer a seus pais e viver pelas regras da sua família. Nem sempre é fácil, não é? Algumas vezes você simplesmente não consegue fazer isso. Você pode não ter um livro de regras para ajudá-lo a estudar as regras da sua casa, mas você tem um livro quando se trata das regras de Deus. Sua Bíblia está justamente aí para você abri-la a qualquer momento. Certo?

Peça a Deus que ajude você

Então o salmista diz: *Não deixes que eu me desvie dos teus mandamentos* (versículo 10). Imediatamente, ele reconhece que não é fácil guardar as regras e precisa de ajuda. Ele realmente quer obedecer, mas é difícil. Então o salmista explica a Deus o que ele já tinha feito para tentar obedecer às regras. Ele diz: *Guardo a tua palavra no meu coração para não pecar contra ti* (versículo 11).

Chamo isso de "pensar no que você está pensando". O que significa dizer que você guardou as palavras de alguém no seu coração? Quando sua mãe lhe diz como você é inteligente ou quanto ela acredita em você e quanto ela o ama, essas são palavras que você pode guardar no coração. Quando você guarda essas palavras no coração, você se sente bem. Você sabe algumas coisas importantes sobre si mesmo. Você sabe que é amado porque você uma pessoa especial.

Quando você guarda as palavras de Deus no coração

Quando você guarda as Palavras de Deus no coração, você sabe das mesmas coisas. Ele diz que o ama. Ele quer que você acredite naquilo que Ele planejou para você e sabe que você é capaz de aprender mais sobre Ele e se esforçar bastante para tornar-se tudo o que Ele planejou para sua vida. Assim, isso faz o salmista tão feliz que ele diz algo como: "Muito obrigado, Senhor, vá em frente! Estou pronto para descobrir tudo o que Senhor tem preparado para mim".

Ele está realmente transbordando de amor por Deus agora porque tem as Palavras de Deus no coração e na mente. Ele diz ao Senhor simplesmente que tudo que ele mais deseja fazer é *repetir em voz alta todas as ordens que tens dado* (versículo 13).

Como mostrar a Deus que você está feliz por ser filho dEle?

Bem, não é isso que você faz quando está empolgado sobre algo e está feliz? Você não quer que todos saibam daquilo que está acontecendo? Essa é uma das formas de você mostrar a grande alegria pelo amor que Deus tem por você? Você conta a seus amigos. Você conta a quase todos que puderem ouvi-lo.

Você pode até mesmo gostar das regras

Finalmente, o salmista diz a Deus algo que é muito importante. Ele diz: *Fico mais alegre em seguir os teus mandamentos do que em ser muito rico* (versículo 14). Hei! Você quer ler isso de novo? Você consegue se imaginar dizendo à sua mãe como você se alegra em viver pelas regras dela? Garotos e garotas, na sua maioria, não importa a idade, não ficam tão empolgados quando existem regras a seguir. O escritor desse salmo não somente amava as regras, mas as amava tanto quanto algumas pessoas gostam de ser ricas. Uau! Agora, isso é bastante curioso. Pense a respeito disso por alguns momentos.

Aqui está uma atitude que você pode tomar

Terminaremos essa parte do Salmo 119 mostrando uma atitude que o salmista diz a Deus que ele toma. Isso é algo que você pode fazer também. Ele diz: *Estudo as tuas leis e examino os teus ensinamentos. As tuas leis são o meu prazer; não esqueço a tua palavra* (versículos 15-16). Isso é o que significa pensar naquilo em que você está pensando. Pensar sobre os mandamentos de Deus, estudá-los, gostar de obedecer a eles e não se esquecer deles.

Isso é tremendo! Leia novamente:

- Pense sobre os mandamentos de Deus.
- Estude-os.
- Obedeça a eles.
- Lembre-se deles.

Como o salmista, é importante que você também pense sobre o que Deus falou e quais são as regras dEle para sua vida. Pensar sobre o que Deus quer que você saiba e compreenda exige muito tempo e bastante estudo. Não é algo que você pode resolver até amanhã. É algo que começa agora e, enquanto você cresce, Deus irá acrescentar mais coisas aos seus pensamentos e compreensão para ajudá-lo e protegê-lo no mundo.

Algumas histórias que você já conhece sobre aprender a obedecer

Mais do que a história de uma baleia... E com vocês: Jonas!

Nossa primeira história pode parecer muito com os problemas de Pinóquio quando ele fugiu do seu amado pai e criador, Gepeto. De fato, nossa história é baseada na Bíblia e encontra-se no livro de Jonas.

O Campo de Batalha da Mente para Crianças   **63**

Aqui está o cenário: o Senhor falou a Jonas e lhe deu instruções específicas para ir a Nínive e pregar nessa cidade porque o povo estava sendo completamente desobediente e mau (veja Jonas 1.1-2).

O que Jonas fez? Bem, ele levantou-se rapidamente e disse: "Certamente, Senhor", e então correu para a direção oposta. Por alguma razão, Jonas teve a idéia maluca de que Deus não poderia perceber onde ele estaria se fugisse, e assim comprou uma passagem num navio e foi para uma cidade chamada Társis (versículo 3).

Imagine Jonas dormindo no porão do navio e pensando que ele tinha enganado o Deus de todo o Universo e que tudo correria bem. Certamente, pensamos dessa forma também algumas vezes, por isso não podemos ser tão duros com Jonas.

De qualquer forma, depois que Jonas descobriu um local no porão do navio e adormeceu, Deus enviou uma tempestade que quase destruiu o navio. Todas as pessoas no navio estavam orando para qualquer deus que elas pudessem pensar, pedindo ajuda, mas nada parecia estar mudando a situação. Finalmente, elas começaram a lançar sorte para descobrir de quem era a culpa e, imagine, todos os sinais apontaram para Jonas (versículo 4-7). Os membros da tripulação perguntaram quem ele era e para onde estava indo. Jonas teve de confessar que estava fugindo do Deus do Universo. Já que o mar ainda não tinha se acalmado, Jonas lhes pediu para atirá-lo na água, pois, assim, o mar se acalmaria. Os homens tentaram ser bondosos com ele e esperavam que simplesmente pudessem levar seu navio de volta à praia, mas o mar não se acalmara ainda. Eles, finalmente, pediram perdão a Deus porque não queriam matar Jonas, mas não tiveram escolha a não ser atirá-lo no mar. Logo que o fizeram, o mar se acalmou (versículos 8-15).

Engolido por um grande peixe

Deus fez um grande peixe se aproximar e engolir Jonas, que tremia apavorado, e ele morou dentro do peixe por três dias e três noites (versículo 17). Na verdade, dentro de um peixe pode ser difícil dizer o que é dia e o que é noite, e Jonas, provavelmente, nunca mais comeu peixe em sua vida. Quando você está dentro da barriga de um peixe, como aconteceu com Jonas, começa a pensar muito sobre o que está fazendo de errado na vida, como aconteceu com Jonas. Ele orou e pediu perdão. Ele agradeceu a Deus por estar com ele mesmo naquela situação. Ele fez uma promessa de obedecer a Deus para sempre. Assim, Deus falou ao peixe, que vomitou Jonas na terra seca (veja Jonas 3).

Voltando à cena do início

Jonas devia ser um grande pregador para Deus voltar a lhe dar outra chance de ir e fazer o que Deus queria. Jonas nem mesmo precisou preparar uma mensagem porque

O Campo de Batalha da Mente para Crianças **65**

Deus lhe disse o que ele deveria pregar quando chegasse ali. Assim, a Bíblia diz: *Jonas obedeceu* (veja 3.1-3).

Jonas caminhou pela cidade de Nínive e disse ao povo que após 40 dias (você já ouviu esse número antes na Bíblia?) a cidade seria destruída (veja 3.4). Entretanto, uma coisa bastante interessante aconteceu, e Jonas não esperava por isso, mas podemos perceber que Deus esperava.

As pessoas acreditaram em Deus! Elas decidiram parar de comer e, assim, jejuaram e vestiram roupas especiais para mostrar sua tristeza pela maneira como tinham agido até aquele momento. Até mesmo o rei de Nínive fez isso. Ele ordenou que todos clamassem por perdão a Deus. Deus fez uma coisa maravilhosa: Ele mudou de idéia. Ele não mais destruiria a cidade (veja Jonas 3.5-10).

Jonas ficou zangado. O engraçado é que Jonas ficou furioso com Deus por perdoar ao povo da cidade. Ele questionou Deus por desejar tanto perdoar-lhes quando eles tinham sido pessoas tão ruins apenas poucos dias antes. Deus foi muito paciente com Jonas e deu-lhe outro exemplo (veja Jonas 4.1-4).

Ele fez uma planta crescer para cobrir Jonas sob o sol quente. Jonas ficou confortável ao sentar-se debaixo da planta e desfrutar sua sombra. No dia seguinte, contudo, Deus fez um inseto comer a planta e ela morreu. Então, Jonas sofreu sob o calor ardente (veja 4.6-8). Deus tentou mostrar a Jonas que ele se preocupava mais com a planta do que com aquelas pessoas, mas Ele se importava mais com as 120 mil pessoas de Nínive, e Jonas seria sua solução para demonstrar isso (veja Jonas 4.10-11).

Não é bom obedecer a Deus? Quando você estiver pensando sobre a Palavra de Deus e como poderá usá-la para ajudá-lo a desejar obedecer, lembre-se de Jonas. Jonas aprendeu pelo caminho difícil. Suas próprias idéias o levariam literalmente a dar com os burros n'água. Você precisa prestar atenção quando as coisas ao seu redor começarem a cheirar mal como peixe.

Outra história de obediência

Se você não suporta o calor, saia da fornalha

Esses rapazes poderiam fazer parte de uma banda de *rock*, mas não é o caso. Eles eram Sadraque, Mesaque e Abedenego. Eles foram designados pelo rei Nabucodonosor para serem líderes sobre a Babilônia. Eram amigos de Daniel, que ajudava o rei a interpretar seus sonhos (veja Daniel 1-2).

Embora o rei Nab (você se importa se eu encurtar seu nome apenas para essa história?) acreditasse um pouco no Deus de Daniel, não tinha tanta fé nele quando a história começou. De fato, o rei Nab fez uma grande estátua (talvez de si mesmo, a Bíblia realmente não diz) feita de ouro e com 27 metros de altura, que ele colocou num lugar de destaque na Babilônia para todos verem (veja Daniel 3.1).

Ele estava tão admirado com sua obra que enviou seus mensageiros reais para proclamarem ao povo esta notícia: *Quem não se ajoelhar e não adorar a estátua será jogado na mesma hora numa fornalha acesa* (Daniel 3.6).

Dobrando-se diante de estátuas de ouro

Agora isso era sério, e as pessoas em todo os lugares estavam dobrando os joelhos. Alguns babilônicos, que eram apaixonados por fofoca e tinham inveja de Sadraque, Mesaque e Abedenego, queriam causar confusão. Eles contaram ao rei

Joyce Meyer

68

Nab que alguns dos seus próprios homens não estavam agindo de acordo com as regras. Eles fizeram o rei concordar em punir seus próprios líderes (veja 3.8-12).

Outra chance?

Por que o rei Nab realmente gostava desses dez rapazes, tentou dar-lhes outra chance. Ele lhes pediu que se dobrassem diante da estátua, e então eles poderiam voltar para casa. O rei estava certo de que nenhum deus poderia salvá-los da fornalha, e ele imaginou que eles iriam fazer o que ele pediu (veja 3.13-15).

As coisas esquentaram

Contudo, eles responderam da seguinte forma, porque queriam obedecer a Deus de todo seu coração:

Sadraque, Mesaque e Abedenego responderam assim: – Ó rei, nós não vamos nos defender. Pois, se o nosso Deus, a quem adoramos, quiser, ele poderá nos salvar da fornalha e nos livrar do seu poder, ó rei. E mesmo que o nosso Deus não nos salve, o senhor pode ficar sabendo que não prestaremos culto ao seu deus, nem adoraremos a estátua de ouro que o senhor mandou fazer (Daniel 3.16-18).

Bem, isso foi algo difícil para o rei ouvir. Ele ficou bastante furioso e ordenou a seus servos que aquecessem a fornalha sete vezes mais do que o calor normal. Ele ordenou a seus soldados que amarassem Sadraque, Mesaque e

Abedenego, e os atirassem na fornalha. As chamas eram tão quentes que os homens que os atiraram na fornalha morreram instantaneamente (veja Daniel 3.19-22).

A surpresa do rei

Após os três homens serem atirados na fornalha, o rei Nab olhou para ver como as coisas estavam indo. Para sua surpresa, os três homens não estavam mais amarrados, e um quarto homem estava com eles. Todos pareciam bem. O rei foi até a abertura da fornalha e chamou os homens para fora (veja 3.23-26).

Nem mesmo uma pequena queimadura

Os três homens saíram. Suas roupas não foram queimadas, o cabelo deles não estava queimado, e eles nem mesmo cheiravam a fumaça! Agora, o que dizer? O rei ficou bastante empolgado e começou a louvar a Deus. Ele ficou admirado porque os três homens obedeceram ao Deus deles e desobedeceram a ele, e a vida deles foi poupada. Ele fez a melhor coisa que um rei poderia fazer: promoveu os três homens à mais alta posição em seu reino (veja Daniel 3.26-30).

O que podemos aprender com essa história?

Na maioria das vezes, se não obedecermos a Deus, não será uma questão de vida ou morte. Ou será? Quando você obedece a Deus, sente-se abençoado e bem, e compreende que tem um relacionamento especial com Ele. Quando você não obedece a Deus, você quer se esconder como Jonas ou ficar atrás da moita como Adão e Eva fizeram. Em outras palavras, obedecer a Deus traz uma vida melhor para você.

Voltando a falar em pensar no que você está pensando, essas histórias também mostram isso. Jonas pensou que ele tinha uma idéia melhor que a idéia de Deus e, mesmo após fugir e Deus salvá-lo, ainda discordava dEle sobre Suas decisões no final da história.

Se você pensar a respeito disso, poderá decidir que é uma idéia melhor fazer o que Deus lhe pede e fazer imediatamente, antes que tenha de enfrentar um naufrágio.

Sadraque, Mesaque e Abedenego o ajudaram a perceber que, mesmo quando as coisas parecem estar indo mal, se você permanecer confiando em Deus para ajudá-lo e crer que Ele o ajudará, suas crenças e pensamentos prevalecerão. Mas você nunca poderá se levantar e declarar suas crenças tão firmemente quanto eles fizeram se seus pensamentos não se firmarem naquelas verdades por muito tempo. Esses eram homens que viviam de acordo com a vontade e o propósito de Deus.

Voltando a estudar a Palavra

Você obterá de seu próprio estudo da Palavra tudo o que você quiser obter. Quanto mais você estudar, mais compreenderá. Quanto mais você compreender, mais poder terá para enfrentar as provações e os problemas do mundo.

A idéia básica é que se você quer fazer o que a Palavra de Deus diz, então deve passar tempo pensando sobre ela. Romanos 12.2 coloca isso da seguinte forma:

> *Não vivam como vivem as pessoas deste mundo, mas deixem que Deus os transforme por meio de uma completa mudança da mente de vocês. Assim vocês conhecerão a vontade de Deus, isto é, aquilo que é bom, perfeito e agradável a ele.*

Mantenha seus olhos no alvo!

Capítulo 6
Quem está cuidando da sua mente?

Muito bem, todos no chão e vamos fazer 50 flexões. Agora, vamos. Quero empenho. Vamos lá! Para cima, para baixo, para cima, para baixo! O quê? Já está cansado? Você precisa colocar seu coração nisso. Empenhe-se!

Quando você está se exercitando, não conseguirá muita coisa se não empenhar seu corpo, sua mente e seu espírito naquilo. Se você já jogou qualquer tipo de esporte, ou ensaiou algo desde uma peça de teatro para a escola até um recital de piano, sabe que tem de prestar toda a atenção no que está fazendo.

Aprender sobre Deus e pensar sobre sua vida exige o mesmo esforço. Você tem de prestar atenção. Você tem de se empenhar nisso. Você precisa praticar e praticar, e se preparar para os grandes momentos quando você pode ser chamado para entrar em cena. Deus está ocupado dando-lhe ferramentas para edificar sua vida e prepará-lo para participar do time dEle. Vamos observar algumas das coisas que podem manter sua mente fora do alvo e distraí-lo do jogo.

Observando se todos os seus pensamentos estão bem

Um dos escritores da Bíblia foi um seguidor de Jesus. Seu nome era Paulo. Ele falou sobre ter *os olhos do nosso coração* abertos e iluminados (veja Efésios 1.8).

Certamente, você se lembra de que Paulo foi um jovem que agiu contra os seguidores de Jesus no início. Ele estava disposto a destruir os seguidores do Senhor, e, enquanto se dirigia a uma cidade chamada Damasco para encontrar pessoas para punir por causa de sua fé, ele teve uma experiência maravilhosa. Foi algo assim (veja Atos 9. 1-2).

Paulo e seus homens estavam se dirigindo, pela estrada, a uma cidade, numa manhã bem cedo. Subitamente

Joyce Meyer

um raio de luz brilhante envolveu-o, e uma voz lhe disse: *Por que me persegues?* (veja Atos 9.3-4).

Paulo ouviu a voz, mas não pôde ver quem estava falando com ele porque a luz era muito brilhante. Ele disse: *Quem é tu?* (veja Atos 9.5).

Jesus respondeu a Paulo quem Ele era e ordenou-lhe que fosse até a cidade onde ele ouviria o que deveria fazer. Quando a luz brilhante desapareceu, Paulo percebeu que estava cego. Seus homens tiveram de ajudá-lo a ir até a cidade (veja Atos 9.5-8).

Olhos cegos do coração

Antes de prosseguirmos e aprendermos mais sobre o que aconteceu com Paulo, vamos pensar sobre nossa própria vida. Será que estamos cegos para aquilo que Deus quer? Precisamos que um raio de luz brilhe sobre nós para aprendermos o que Deus quer que saibamos? Algumas vezes somos cegos. Algumas vezes não podemos ver para ajudar a nós mesmos. De fato, Paulo estava nessa situação em que não podia ver nem para "ajudar a si mesmo".

Pense sobre o que significa você não poder ver. Você sabe como é quando está procurando uma das suas meias, ou procurando seu CD favorito e está certo de tê-lo colocado num lugar, mas não o encontra? Finalmente, você pergunta à sua mãe se ela sabe onde está e fica louco

porque ela sempre encontra as coisas e você simplesmente não sabe como ela consegue isso.

Não encontrar sua meia é uma espécie de cegueira, mas não ter os olhos do seu coração abertos, bem, essa é outra muito mais séria. Você pode sempre obter outro par de meias. Mas você não pode obter outro coração e não pode obter outra mente para tentar compreender o que Deus quer que você saiba. Você tem de procurar e encontrar tudo isso por si mesmo. Você tem de procurar como se toda sua vida dependesse disso, porque ela depende mesmo. A vida espiritual é o que importa para Deus.

Bem, agora vamos voltar e descobrir o que aconteceu com Paulo e, então, viajarmos para vinte séculos atrás e perceber o que pode acontecer com você.

Haja luz... nos olhos
de Paulo!

Agora você pode imaginar que Paulo estava um pouco espantado com tudo o que havia acontecido com ele naquela estrada. Num momento ele era um homem com uma missão, viajando pela estrada, pronto para surrar outros cristãos. No minuto seguinte, ele foi cercado por um grande raio de luz do céu, derrubado no chão e ouviu uma voz identificando-se como a de Jesus. Quando a luz foi embora, sua vista foi também, e ele, subitamente, viu-se imerso na escuridão a respeito daquilo que acabara de acontecer.

Quando você está na escuridão, busca o interruptor de luz tão rapidamente quanto possível, e, esteja certo, Paulo desejava encontrar algo assim também.

Quando Paulo chegou a Damasco, permaneceu três dias na escuridão, orando e esperando que algo acontecesse. Ele não comeu nem bebeu durante esse tempo.

Enquanto isso, do outro
lado da cidade...

Do outro lado da cidade, Deus está ocupado preparando a resposta às orações de Paulo para restaurar sua visão. Deus já tinha falado com um dos seus servos, um rapaz chamado Ananias, que ele precisava visitar Paulo (que nesse momento ainda se chamava Saulo, mas Deus iria mudar seu nome, assim como sua missão) e curá-lo da sua cegueira (veja Atos 9.10-12).

Agora, pode parecer legal Deus lhe pedir para fazer isso. Contudo, Ananias precisou ter "olhos do coração" especiais para compreender por que Deus lhe pediu isso. Ele tinha ouvido a respeito da reputação de Paulo em fazer coisas horríveis com os cristãos. Não pense que ele não estava um pouco assustado em encontrar esse tal de Paulo (veja Atos 9.13-14).

Deus assegurou a Ananias que estava tudo bem, porque Ele tinha alguns novos planos para Paulo. Assim, Ananias foi (veja Atos 9.15-17).

Quando Ananias encontrou Paulo, ele lhe disse que Jesus o enviara ali e até mesmo comentou que sabia que Jesus tinha aparecido a Paulo na estrada. Isso deixou Paulo bastante certo de que Ananias sabia o que estava fazendo, porque Paulo não tinha dito a ninguém o que acontecera com ele (veja Atos 9.17).

Ananias lhe disse que Deus o enviara para ajudar Paulo a recuperar a visão e para enchê-lo com o Espírito Santo. Quando Ananias o tocou, escamas caíram dos olhos de Paulo. Ele viu a luz. Ele foi batizado e comeu alguma coisa (veja Atos 9.18-19).

O que a história de Paulo tem a ver com você?

Você pode ler a história de Paulo no capítulo 9 de Atos. Sua história é um grande exemplo daquilo que parece ser uma cegueira. Paulo era um homem inteligente. Ele freqüentou as melhores escolas. Ele tinha poder. Se vivesse hoje, ele teria uma grande casa na montanha e a mais moderna aparelhagem de som e imagem, bem como o último modelo de computador, porque ele sabia das novidades. Seus amigos diriam que ele era realmente uma pessoa legal para se conhecer. Seu futuro parecia brilhante.

Mal ele sabia quão brilhante seria! A questão é que você pode ter a melhor coleção de DVDs, ou a melhor casa do quarteirão, ou ser o melhor aluno da aula de Geografia e, ainda assim, estar cego. É verdade! Sua mente e seu espírito podem estar desconectados entre si. É disso que fala a história de Paulo e é disso que fala a sua própria história.

Você precisa conectar os pontos de todas as coisas que você aprendeu até agora na escola, em casa, na igreja e ver se os olhos seu coração já foram abertos. Você precisa ver se já percebeu isso.

Percebeu o quê? Percebeu que você é filho de Deus e que Deus tem um propósito para sua vida e uma missão específica para você? Você já percebeu que quanto mais cedo você começar nisso, mais poderá fazer para Deus e mais luz Ele poderá derramar sobre você para ajudá-lo a combater toda treva que tentar se aproximar?

Você precisa ver a luz que Paulo viu. Você precisa achar uma maneira na qual sua mente, que é a parte de você que pensa de forma inteligente, se alinhe com o seu espírito, que é a parte de você totalmente pertencente a Deus. De acordo com a Bíblia, a mente e o Espírito têm que trabalhar juntos para compreender as coisas completamente.

Como sua mente pode ajudar seu espírito?

Primeiramente, você tem de saber que algumas vezes seu espírito está realmente trabalhando duro para ajudá-lo a compreender coisas sobre Deus. Assim, embora o espírito esteja tentando ajudar você a viver uma vida melhor, sua mente pode simplesmente estar muito ocupada para ouvir isso e não entender o que está acontecendo.

Veja um exemplo. Você deve se lembrar quando seu professor de Matemática estava tentando explicar "raiz quadrada" mais uma vez e você estava ouvindo, mas sua mente estava fora, pensando uma centena de outras coisas e, assim, a única coisa "quadrada" na sala que sua mente conseguia pensar era seu professor. Sua mente estava bastante ocupada para ouvir.

Além de a sua mente viajar, havia o fato de que seu amigo estava tentando chamar sua atenção. Seu melhor amigo estava do outro lado da sala tentando cochichar-lhe algo e sussurrando cada sílaba para que você pudesse compreender o que ele estava dizendo. Mas a classe inteira estava uma bagunça e, por alguma razão, todos estavam falando ao mesmo tempo, e você não podia ouvir nem seu vizinho, muito menos seu amigo do outro lado da sala. Agora, imagine se você pudesse ouvir os pensamentos de cada garoto da sala... Havia muito barulho ali e você mal podia ouvir seu próprio pensamento. Como Deus poderia falar com você em meio a essa confusão? Acendendo uma luz em seu interior. Ele certamente enviaria um raio de luz brilhante sobre você, porque de outra forma você não seria capaz de ouvir o que o Espírito de Deus estava tentando dizer.

Se sua mente estiver sobrecarregada com pensamentos do dia, com as vozes de outros meninos falando aos seus ouvidos, com sua mãe dizendo o que teria para o jantar e seu pai alertando-o sobre o que deveria se lembrar hoje, você não irá sintonizar-se com Deus. De fato, é espantoso que você possa até mesmo conseguir fazer seu próprio dever.

Assim, como você ouve a voz de Deus?

Você precisa ficar bem, bem quieto. Você precisa respirar fundo e orar. Você precisa ouvir.

Sua mente deve estar em paz. Ela deve estar pronta para ouvir, estar alerta, em descanso. Sua mente não pode estar viajando.

Já falamos um pouco sobre como você pode estar consciente de uma mente que "viaja", uma mente que se distrai. Uma coisa que você tem de fazer é concentrar-se. Você se lembra de que falamos no início do capítulo que, quando você está se preparando para uma corrida ou para fazer um exercício, você precisa concentrar-se? Você tem de se fixar no trabalho que está à sua frente. Sua mente precisa desse tipo de concentração o tempo todo.

Se você não dormiu muito bem na noite passada ou se tem algumas preocupações em sua mente, você pode ter problemas com essa questão de concentrar-se em algo. Se você está lendo a mesma página pela terceira vez no seu livro de Estudos Sociais, há uma grande chance de que você não esteja sendo capaz de concentrar-se. Descanse um pouco e tente concentrar-se mais tarde.

Todos nós nos distraímos de vez em quando. Não estamos realmente falando dessas coisas que acontecem às vezes, porque, em alguns momentos, é importante deixar a mente descansar. Estamos falando sobre o fato de você ter algum controle para impedir que sua mente se distraia muito e você precise ter de trazê-la de volta antes que ela vá embora de vez.

Se seu cachorro sai pela vizinhança, você vai buscá-lo. Você não quer que ele se afaste muito e se perca. Isso também é verdade para você. Já que seu corpo é o templo de Deus, você precisa estar consciente do que está pensando o tempo inteiro. Se sua mente se desvia, você precisa trazê-la de volta para casa.

O quê distrai sua mente?

Os meninos, em sua maioria, dizem que podem facilmente fazer seu trabalho de casa diante da televisão, com um fone de ouvido, escutando seu CD favorito, e ainda comendo pizza, e mesmo assim obterem nota 10 no trabalho que estão fazendo. Bem, isso é o que eles dizem. Talvez você seja um desses que pode fazer isso. Talvez não. É bom observar o que pode distraí-lo, porque talvez você possa parar essas distrações imediatamente.

Veja se você pode colocar a lista abaixo em ordem de prioridades do que você acha que o distrai mais, da primeira dessas coisas até a última. Veja se você pode imaginar a primeira coisa que mais o distrai quando você está tentando concentrar-se em algo que precisa fazer.

Distrações comuns

- Comerciais de TV.
- Músicas do rádio.
- Irmão ou irmã que o interrompem.
- A campainha do telefone.
- O gato pulando em seu colo.
- Alguém trabalhando no quintal.
- A sirene do carro de bombeiros na rua.
- O cachorro latindo.
- Fome.
- A campainha da porta tocando.

Olhe para sua lista e veja em que ordem você colocou as coisas, e isso lhe dará alguma idéia de que você precisa fazer para encontrar um lugar mais tranqüilo para trabalhar quando tiver de concentrar-se.

Pense sobre os momentos em que você quer orar. Algumas dessas coisas o distraem nesses momentos? Se você puder nomear as coisas que o impedem de deixar sua mente em paz, então pode buscar formas de impedi-las de distraí-lo. Você terá uma arma para ajudá-lo a combater essa questão de mente distraída.

Os anos de questionamento

Alguns de nós nunca saímos desses anos de questionamento e nos questionamos quase sempre sobre tudo. Podemos até mesmo pensar nisso como uma espécie disfarçada de preocupação. Nós nos perguntamos sobre o que terá para o jantar; como será a prova de inglês; se teremos bons amigos a vida toda; se as pessoas realmente gostam de nós; ou se mamãe nos levará ao cinema. Nós nos perguntamos sobre coisas o tempo inteiro.

Uma curiosidade saudável é uma boa coisa quando você está concentrado em fazer uma pesquisa especial sobre a vida das abelhas ou o que é necessário para um foguete subir à Lua. Você pode se perguntar sobre essas coisas se deseja estudá-las para aprender algo. É para isso que serve a curiosidade. Os cientistas começam uma descoberta ao se perguntarem sobre algo.

Mas estamos falando de um tipo diferente de questionamento aqui. Estamos falando sobre todas aquelas pequenas coisas que colocam sua mente em agitação e confusão porque você não pode realmente fazer nada sobre isso ou obter as respostas imediatamente, e elas, simplesmente, não estão sob seu controle. Quando sua mente se perde com esse tipo de questionamento, isso é um desperdício de tempo. Você não obterá qualquer resposta imediatamente.

Quando sua mente está cheia de *você* mesmo!

Quando você se pergunta sobre tudo, então começa a ter dificuldade em tomar decisões, fica confuso e não consegue ouvir qualquer coisa que Deus esteja tentando lhe dizer. Isso significa que sua mente está cheia de sua própria opinião sobre as coisas. Quando sua mente se agita com tudo o que acontece, você não pode estar calmo o suficiente para receber qualquer orientação do Espírito Santo. Você precisa parar de se perguntar, acalmar sua mente e orar. Quando você ora, é capaz de obter as respostas que procura.

Quando você ler o que a Bíblia diz em Marcos 11.23-24, verá que Jesus não disse aos seus discípulos: "Quando vocês orarem e pedirem alguma coisa, *duvidem de que a receberão*". Pelo contrário, Ele disse: *Quando vocês orarem e pedirem alguma coisa,* **creiam** *que já a receberam, e assim tudo lhes será dado!*

Você precisa entrar nos anos da fé!

Capítulo 7

Quando a melhor nota que você pode tirar é *zero!*

Você se esforça na escola. Você tenta tirar 10 o máximo que pode ao encher sua mente de idéias, fatos e opiniões. Você faz isso em todas as aulas, e, no final do dia, sua mente pode estar sobrecarregada. Você se pergunta se seu cérebro simplesmente não entrará em curto-circuito.

Apesar de ser muito bom tirar 10 e aprender tudo o que puder, algumas vezes é melhor você simplesmente "dar um tempo". Dê algumas cambalhotas, estoure pipocas e descanse. Volte ao início e respire fundo. Voltar ao início, neste caso, significa voltar à sua fonte de força, inspiração e conhecimento verdadeiro. Você pode voltar à estaca zero, ou seja, única coisa que você precisa é ter fé em Jesus Cristo e no amor dEle por você. É tempo de você ter a mente de Cristo.

"Tudo bem", você pensa. "Mas isso não é exatamente fácil. Se isso fosse uma prova, acredito que eu seria reprovado".

Bem, você está certo. Não é fácil, mas é algo sobre o qual você pode estudar mais e se empenhar. De fato, há muito que você pode fazer.

Por intermédio deste livro, temos conversado sobre como você pode fazer escolhas que lhe ensinarão o modo certo de pensar. Escolhas certas conduzem a pensamentos certos. Pensamentos certos conduzem a Jesus. Você tem prosseguido a despeito das dificuldades, portanto, continue, certo?

Como você pode ter a mente de Cristo?

O texto de 1 Coríntios 2.11-13 traz parte da resposta quando diz:

Quanto ao ser humano, somente o espírito que está nele é que conhece tudo a respeito dele. E, quanto a Deus, somente o seu próprio Espírito conhece tudo a respeito dele. Não foi o espírito deste mundo que nós recebemos, mas o Espírito mandado por Deus, para que possamos entender tudo o que Deus nos tem dado. Portanto, quando falamos, nós usamos palavras ensinadas pelo Espírito de Deus e não palavras ensinadas pela sabedoria humana. Assim explicamos as verdades espirituais aos que são espirituais.

Uau! O que isso significa? Isso significa que, uma vez que cremos em Jesus, Deus nos dá o Espírito Santo para entrar em nosso coração e em nossa mente e nos ajudar a compreender mais plenamente as coisas de Deus. Se não temos Jesus, não seremos capazes de compreender as coisas do Espírito.

Enquanto crescemos, aprendemos mais do Espírito e nos tornamos mais como Jesus. Ao menos, esse é o alvo. Certamente isso parece fácil, mas vamos prosseguir.

O que significa realmente ter a mente de Cristo?

Certo, eu trouxe a questão novamente porque a Bíblia nos diz o que acontece quando temos o Espírito Santo para nos ajudar a compreender as coisas de Deus e a maneira como Jesus pode pensar. Como realmente fazemos isso?

Primeiramente, não se trata de uma mistura instantânea de nossa mente com a mente de algum ser alienígena em que somos imediatamente transformados e tudo passa a funcionar bem daí em diante. Isso seria ilegal, mas não é assim que funciona. Também não podemos dissolver um envelope de bons pensamentos em um pouco de água, deixar ferver, bebermos e, então, subitamente sermos transformados. De fato, não conseguimos obter a mente de Cristo rápida e facilmente. É um processo que dura a vida toda desde que se é um garoto até ser um adulto e ter uma mente que queira continuar aprendendo e crescendo. Todos nós estamos nos esforçando para isso. Todos nós queremos mais daquilo que Jesus pensa e menos do que pensamos.

Parte do trabalho para conseguirmos mudar a mente está relacionada a ter uma mudança de coração. Quando seu coração está "no lugar certo", como freqüentemente dizemos, então estamos mais apto a fazer as coisas certas. Vamos ver alguns versículos da Bíblia que falam sobre como nossa mente funciona.

Coração, alma e mente

Jesus disse: *Ame o Senhor, seu Deus, com todo o coração, com toda a alma e com toda a mente.* (Mateus 22.37)

O que significa fazer algo *com todo o coração, com toda a alma e com toda a mente?*

O que é o seu coração?

Nesse trecho, o coração significa o seu centro emocional. É o lugar onde você tem sentimentos profundos sobre as coisas que são importantes para sua vida. É o lugar onde sua mãe, seu pai, sua família e amigos vivem. É o lugar onde você tem os desejos profundos do que você quer se tornar e o que você quer que a sua vida seja. Você sente essas coisas em seu coração.

O que é a sua alma?

Nesse trecho, a alma fala da sua essência, a parte do seu ser que viverá para sempre. É o lugar onde o Espírito de Deus vive dentro do você e se relaciona com todos os outros aspectos de sua vida que se rendem à vontade de Deus. Um poeta chamado João da Cruz, escreveu "A alma em si mesma é a mais amorosa e perfeita imagem de Deus". Em outras palavras, vale a pena compreender isso, e você compreenderá muito mais sobre sua alma à medida que continuar a crescer em Jesus.

O que é a sua mente?

Sua mente é a ferramenta que Deus lhe deu para você poder pensar, reagir e olhar para a vida de todos os pontos de vista. É o guarda da sua alegria e do seu sofrimento. É o lugar onde você conhece quem você é e o que você deve se tornar. É uma parte do seu ser que está continuamente necessitando ser renovada.

Agora, com essas três coisas juntas, adicione a idéia do amor. Amar de todo seu coração, de toda sua alma e de todo o seu entendimento (mente). Bem, essa é simplesmente uma idéia maravilhosa! Se você pensar sobre a sua mãe ou alguém mais a quem você ama desse jeito, começará a entender onde estamos chegando.

Mas, espere, você ainda tem de acrescentar o mais importante ingrediente dessa declaração: *quem* você deve amar? Você deve amar a *Deus* de todo o seu coração, de toda a sua alma e de todo o seu entendimento. Agora, tente imaginar *isso*!

As coisas que você ama

Pense por um momento nas coisas que você ama. Você ama macarrão, ama seu cachorro, seu chocolate, você uma música, você ama seu melhor amigo. Mas essas coisas são bem pequenas em comparação com aquilo que Jesus está sugerindo aqui. As coisas que acabamos de mencionar não precisam de todo o seu coração, de toda a sua mente e de toda a sua alma. Somente Deus precisa disso. Estamos olhando o amor de maneira totalmente nova. Talvez queira nos perguntar se Deus quer que você o ame assim, porque é assim que Ele ama você!

Lucas 10.27 coloca essa frase de uma forma um pouco diferente. Ele diz: *Amarás o Senhor, teu Deus, de todo o teu coração, de toda a tua alma, de todas as tuas forças e de todo o teu entendimento; e: Amarás o teu próximo como a ti mesmo.*

Lucas acrescenta que você deve amar a Deus com seu corpo físico, ou seja, com todas as tuas forças. Imagine sentir todo esse amor por Deus e saber que tudo em você gira em torno desse grande amor! O que você deveria fazer com isso? Mente questionadora quer sempre saber das coisas!

Uma das respostas seria esta: você deve amar seu próximo como a si mesmo. Se você ama seu próximo como a si mesmo, essa é uma confirmação de que você tem buscado ter a mente de Cristo. Você tem aprendido como é importante amar com tudo o que você tem e colocado as necessidades dos outros antes das suas. Esse é o alvo. É isso o que Deus quer que você faça.

Uma vez mais... o que significa amar seu próximo?

Você vem aprendendo como amar seu próximo durante toda sua vida. Você aprendeu a compartilhar seus brinquedos na creche. Você aprendeu a ajudar nas tarefas de casa e a "dar uma mão" quando alguém precisar. É a mesma idéia, com exceção de que não se trata de fazer somente as coisas quando você sente vontade. É uma questão de decidir viver dessa forma e agir assim o tempo todo. É uma questão de ter a mente de Cristo todo dia.

Em Atos 2-4, os crentes tiveram sua primeira experiência com o Espírito Santo. Isso era novo para eles, e algo realmente importante aconteceu com eles. Eles estavam apaixonados pelo Senhor e uns pelos outros.

Todos os que creram pensavam e sentiam do mesmo modo. Ninguém dizia que as coisas que possuía eram somente suas, mas todos repartiam uns com os outros tudo o que tinham (Atos 4.32). Essa passagem diz que as pessoas que possuíam casas e propriedades as vendiam para que pudessem ter dinheiro e compartilhar com aqueles que tivessem necessidade (veja Atos 4.34). Essa é uma forma poderosa de pensar e sentir do mesmo modo. Cuidar de todos os que estão passando por necessidades significa "ter a mente de Cristo". Não seria algo maravilhoso para se ver?

Então, como você cuida do seu próximo?

■ Pergunte se você pode ser voluntário na igreja, no berçário ou ajudando as crianças menores com algum projeto, por exemplo.

■ Ajude na escola bíblica de férias.

■ Pesquise maneiras como as crianças podem ajudar em sua comunidade local.

■ Ore pelos outros.

■ Seja um bom cidadão.

■ Ajude em casa.

■ Abrace as pessoas de sua família.

■ Ajude sua mãe a limpar a cozinha.

Joyce Meyer

■ Veja o que você pode tirar do seu armário e ajudar alguém em necessidade.

■ Veja se você tem alguns brinquedos velhos que pode doar.

■ Escreva bilhetes para pessoas que você não pode ver freqüentemente e deixe-as saber que você se importa com elas.

■ Corresponda-se com um amigo em sua igreja, seja no Brasil, seja em outro país.

■ Peça à sua mãe algumas outras idéias.

Antes de começar a fazer qualquer coisa, certifique-se de que você terá a permissão dos seus pais. Essas são apenas algumas formas como você pode ser um "bom próximo" e ajudar os outros. Estou certa de que você conhece outras formas de compartilhar seus dons especiais. Dessa maneira, você, verdadeiramente, estará tendo a mente de Cristo. Você descobrirá, enquanto fizer isso pelos outros, que seu pensamento sobre tudo estará mais em linha com a Palavra de Deus.

Mantendo uma mente positiva

Ser uma pessoa positiva diz respeito a ter um padrão de pensamento positivo, o que não é o mesmo que fingir ser feliz o tempo todo. Ter um padrão de pensamento positivo é realmente escolher ver as coisas que acontecem na vida de forma diferente. Vamos dar um exemplo.

Um furacão fecha o parque da Disney

Vamos supor que as férias da sua família tenham sido planejadas, por meses, com uma viagem à Disney. Você está contando os dias e guardando cada centavo, imaginando o que você vestirá e o que dirá quando encontrar o Mickey e a Minie. Você está pronto para ir! Um dia antes de partir, um furacão "arrasa-tudo" se aproxima, e a Disney é obrigada a fechar suas portas. De acordo com as notícias, a Disney estará fechada por vários dias, para reparos após o furacão deixar a área. Sua família receberá novos ingressos para voltar quando quiserem no futuro.

O que você faz quando isso acontece?

Tendo você um padrão de mente positivo ou negativo, certamente ficaria desapontado com isso. Afinal, você estava esperando se divertir bastante e sair da sua rotina. Sem dúvida, seus pais estão chateados também. Essa uma reação normal.

Mas o que você faz com seu desapontamento após ter experimentado esses primeiros sentimentos de raiva e tristeza é a chave. Vamos observar algumas reações possíveis. Vamos olhar para Zangado, para Alegre e para Furiosa.

A história de Zangado

Por que esse velho furacão tinha que vir justo agora? Por que ele não foi destruir algum outro lugar? Por que ele tinha de arruinar a única coisa legal que eu tinha para fazer durante todo este ano?

Tudo de mal acontece comigo. Meus amigos já saíram para suas férias, e agora não tenho com quem brincar. Mamãe me fez limpar meu quarto todos os dias durante semanas porque íamos para esta viagem, e agora nós nem vamos.

Simplesmente odeio minha vida. Por que será que nada de bom acontece comigo?

Como você vê, Zangado vê esse incidente como uma derrota pessoal. De alguma forma, o mundo inteiro cai sobre ele, e ele considera esse furacão como parte de algum plano para tornar sua vida miserável. Claramente, ele não consegue desfrutar a vida, e tudo está arruinado. Esse é o padrão de pensamento dele. Isso lhe traz algum bem?

A história de Alegre

Alegre ficou realmente desapontada quando percebeu que sua família não poderia fazer a viagem para a Flórida. Ela olhou para sua bagagem, para as fotos da Cinderela e de todas os personagens que gostaria de ver e ficou pensando no que fazer.

Ela olhou em seu livro tudo o que poderia ver e fazer na Disney e, de repente, teve uma idéia: ela inventaria para todos de sua família um passe especial para entrarem no parque. Esse seria um "ingresso à prova de furacão", e eles poderiam imaginar que estavam brincando no parque naquela noite. Afinal, faltavam apenas poucas semanas antes de eles realmente irem ao parque.

Alegre começou a trabalhar. Recortou fotos de carruagens, estações espaciais, animais e personagens e os colou em pedaços de cartolina. Então, colocou o nome de cada pessoa de sua

família em cada uma das peças. Criou um convite especial para cada um imaginar o que estaria fazendo ali e comentar sobre a alegria que teria poucas semanas mais tarde, quando o parque estivesse aberto novamente.

Alegre levou seu trabalho para a sala, para compartilhar com sua família. Todos se divertiram enquanto falavam sobre o que fariam quando realmente chegassem ao parque. Alegre ajudou sua família a se sentir melhor.

Afinal, um furacão não é culpa de ninguém. Alegre queria ajudar sua família a se sentir melhor o mais rápido possível. Que diferença faz uma atitude positiva!

A história de Furiosa

Furiosa não recebeu bem as notícias do furacão. Ela começou a se zangar um pouco, mas, depois, ficou muito brava. Sua ira a fez sentir-se pior e a descontar em todos em casa.

"Não acredito nessas notícias", ela disse a seu pai. "Acho que deveríamos ir de qualquer forma. Provavelmente a coisa não está tão ruim".

"Os aviões nem mesmo podem voar para lá agora, Furiosa", seu pai explicou. "Eles realmente estão enfrentando um furacão. Não se preocupe, ainda iremos daqui a poucas semanas, quando as coisas voltarem ao normal".

Furiosa explodiu. Ela subiu pelas escadas, bateu a porta do seu quarto e começou a atirar coisas pelos ares. Sua mãe entrou para ver o que

estava acontecendo, e Furiosa simplesmente gritou com ela com toda a força dos seus pulmões. Ela não se importava com o que alguém tivesse a dizer. Ela estava muito brava e queria que todos soubessem disso.

Furiosa gritou até mesmo com o gato, que realmente nada tinha a ver com isso, qualquer que fosse o problema.

Fica bastante clara, nesses três exemplos, a diferença que um padrão de pensamento positivo pode fazer. Não importa o que apareça para desapontar você. O desapontamento acontecerá em sua vida muitas vezes, mas você tem de aprender a lidar com isso. Você tem de criar uma forma de pensar sobre isso que o faça se sentir melhor e não pior.

Como? Pensando em coisas positivas

Já que você está consciente de que precisa "ter a mente de Cristo" tem alguma idéia do que poderia significar pensar de forma positiva. Você sabe, por certo, que Deus é positivo. Você sabe disso particularmente porque aprendeu desde que era uma criancinha que Deus é amor. O amor é positivo. Você pode entender isso.

O que você pode fazer para tornar positivo aquilo que acontece em sua vida? Você pode:

Joyce Meyer

- buscar o lado bom de qualquer situação;

- lembrar-se de que você pode mudar sua mente e sua atitude;

- pedir a ajuda de Deus;

- olhar para o melhor que está por vir;

- saber que Deus quer o melhor para você;

- saber que Deus se importa se você está desapontado;

- buscar maneiras de resolver o problema em vez de piorá-lo;

- deixar as pessoas que você ama ajudá-lo;

- ajudar as pessoas que você ama;

- comer pizza;

- manter um diário onde você possa se lembrar daquilo que você fez e que foi útil no caso de isso acontecer novamente;

- escolher fazer o melhor das coisas;

- ter outras idéias além dessas.

Observe que, embora não possa ser capaz de controlar o clima ou furacões ou mesmo coisas pequenas em sua vida, *você pode* controlar a forma como escolhe lidar com essas coisas. Perguntar a si mesmo como Jesus lidou com as situações é uma boa forma de começar. Você pode sempre ser uma luz brilhante e escolher ser positivo nas tempestades que apareçam em sua vida.

Como você vê, sempre que algo surgir em seu caminho, você pode voltar ao começo, ao lugar onde Jesus o encontrará e o ajudará a seguir adiante. Você nunca terá de enfrentar os desafios da vida sozinho.

A dúvida e a depressão pertencem à lixeira

A dúvida e a depressão são os dois maiores demônios com os quais sua mente terá de combater. Ambos ficam rodeando você, esperando por uma chance para invadir sua mente e fazê-lo acreditar em coisas que simplesmente não são verdade. Pense nelas como dois bandidos silenciosos que não têm qualquer direito de estar em sua vida. Elas não fazem parte do plano de Deus para você e terão muita dificuldade em perturbar sua vida se você se revestir da mente de Cristo.

Assim, como você combate o demônio da dúvida?

Você pode começar escrevendo este pequeno poema num pedaço de papel e pregando-o na parede:

A dúvida vê os obstáculos;
A fé vê o caminho.
A dúvida vê a noite escura;
A fé vê o dia amanhecer.
A dúvida tem medo de dar um passo;
A fé voa alto.
A dúvida pergunta: "Quem acredita nisso?"
A fé responde: "Eu!"

Não acredito que Deus coloque qualquer dúvida em nossa mente. Essa é uma artimanha do demônio. A Bíblia diz que Deus deu a todos os homens (e a todas as crianças) uma "medida de fé". Romanos 12.3 diz: *Eu digo a todos vocês que não se achem melhores do que realmente são. Pelo contrário, pensem com humildade a respeito de vocês mesmos, e cada um julgue a si mesmo conforme a fé que Deus lhe deu.*

Nesse mesmo capítulo, Paulo escreveu: *Não vivam como vivem as pessoas deste mundo, mas deixem que Deus os transforme por meio de uma completa mudança da mente de vocês* (veja versículo 2).

Assim, a pergunta é: "Você deixará Deus transformar seu pensamento ou deixará o demônio da dúvida em sua mente lhe dizer o que você pode ou não pode fazer"? Essa é uma grande coisa para aprender agora, porque o ajudará durante toda a sua vida. A dúvida *não vem* de Deus.

A parte engraçada disso tudo é esta: os demônios da dúvida são enviados para perturbá-lo porque você tem fé. Se você não tivesse fé, eles, provavelmente, o deixariam em paz. É a sua fé que eles querem atacar. Deus coloca a fé em seu coração. Não deixe nada nem ninguém roubá-la!

Como você pode batalhar contra os demônios da dúvida?

Lendo, estudando e falando a Palavra

Os demônios da dúvida o atacarão a qualquer momento em que você estiver cansado, preocupado ou simplesmente não se sentindo muito bem. Geralmente seu espírito está abatido quando eles vêm atacá-lo. A melhor coisa que você pode fazer é estar bem armado com a Palavra. Você precisa de alguns versículos tremendos da Bíblia para atirar na cara da dúvida, e logo ela se cansará de perturbá-lo e irá embora.

Se você conhecer a Palavra, logo pode perceber que a dúvida está batendo à sua porta e, então, poderá dar-lhe o troco com a Palavra de Deus. A dúvida tenta encher-lhe a cabeça com mentiras, porque ela quer fazer você pensar que sua fé em Jesus não é suficiente. No entanto, você sabe muito bem a verdade.

Uma das minhas histórias favoritas, quando começo a perceber que a dúvida tenta me atacar, está em Romanos 4. É a história do que aconteceu a Abraão no início, em Gênesis. Vamos observar a fé de Abraão e ver como isso pode nos ajudar também.

A história de Abraão

Tenha em mente que vou contar esta história com minhas próprias palavras, mas você pode ler o relato real em Romanos, capítulo 4.

Abraão creu em Deus

A história começa com a simples declaração de que Abraão creu em Deus (veja Romanos 4.3).

Deus se agradou tanto disso que deu a Abraão alguns privilégios especiais. Agora, apenas pense um pouco nisto. Abraão não fez uma porção de grandes coisas. Ele não fez muitas boas obras para que Deus o escolhesse no meio de uma multidão. Portanto, Abraão não poderia se orgulhar de que tivesse feito algo para obter as bênçãos de Deus. Não, Abraão simplesmente *creu* em Deus.

Deus gostava de ser amigo de Abraão por causa da sua fé e não pelas coisas que ele fazia. Assim, como essa fé ajudou a Abraão?

Isso significa que Abraão teve um relacionamento com Deus baseado nas coisas do coração, da alma e da mente. Essas são as coisas sobre as quais falamos antes e das quais Jesus nos diz que é importante termos. Abraão tinha esse tipo de amor por Deus.

A Bíblia nos lembra que a fé é a chave. As promessas de Deus são dadas a nós como um presente gratuito. Para que Abraão tinha de manter sua fé? Qual era a promessa que Deus lhe fez?

O pai de muitas nações

Abraão creu em Deus quando Deus lhe disse que ele teria muitos filhos (veja Romanos 4.17). Ele até disse que os filhos de Abraão seriam numerosos como as estrelas (versículo 18). Isso podia parecer como algo impossível para Abraão. Abraão, porém, acreditou que isso pudesse acontecer, embora ele fosse considerado velho demais para ser pai – Ele já tinha quase 100 anos de idade (e você pensa que *seu* pai é velho!). Sara, sua esposa, tinha também passado da idade de ter filhos, no entanto Abraão acreditou que Deus poderia fazer qualquer coisa (versículo 19). Se Deus lhe disse que ele poderia ter filhos, então ele tinha certeza de que teria filhos (versículos 20-21).

Abraão estava totalmente convencido de que Deus cumpriria sua promessa. Embora Sara não tivesse tanta certeza assim, ela permaneceu fiel ao seu marido. Seu marido permanecia fiel a Deus e, finalmente, Isaque nasceu. Agora, essa é uma história tremenda sobre o nascimento de um bebê, você não acha?

Por que essa é uma boa história?

Gosto bastante dessa história porque ela me lembra que todas as coisas são possíveis com Deus. Algumas coisas podem parecer muito difíceis se você não tiver a participação de Deus nisso, mas se você a tiver, Ele pode fazer tudo o que for certo para você. Essa é uma grande história a respeito do que significa não duvidar de Deus.

Mas e a história de Tomé? Você conhece a história da dúvida de Tomé? O que podemos aprender com ele? Vamos verificá-la também.

Ah, Tomé! Você e suas dúvidas!

Você certamente já conhece a história de Tomé, o discípulo que precisava de provas de que Jesus tinha ressuscitado antes de acreditar no que seus amigos lhe contaram.

108 **Joyce Meyer**

Provavelmente alguns de nós faríamos a mesma coisa que ele fez.

Maria foi a primeira a encontrar Jesus após a ressurreição. Foi ela quem contou aos discípulos a história da sua conversa com Jesus. Pouco tempo depois, o próprio Jesus apareceu aos seus discípulos, mas Tomé não estava presente naquele encontro. Quando Tomé chegou e eles lhe disseram o que aconteceu, Tomé disse que não poderia acreditar, a menos que visse as feridas dos cravos nas mãos de Jesus e a ferida em seu lado. Aqui está o que João 20.26-29 diz:

> *Uma semana depois, os discípulos de Jesus estavam outra vez reunidos ali com as portas trancadas, e Tomé estava com eles. Jesus chegou, ficou no meio deles e disse: — Que a paz esteja com vocês!*
>
> *Em seguida, disse a Tomé: — Veja as minhas mãos e ponha o seu dedo nelas. Estenda a mão e ponha no meu lado. Pare de duvidar e creia!*
>
> *Então Tomé exclamou: — Meu Senhor e meu Deus!*
>
> *— Você creu porque me viu? — disse Jesus. — Felizes são os que não viram, mas assim mesmo creram!*
>
> João 20.26-29

Talvez o velho ditado "ver para crer" tenha vindo dessa história. Perguntas também surgirão em sua caminhada de fé. Dúvidas o rodearão e o atacarão sempre que puderem.

Qual deve ser sua resposta? Você acreditará incondicionalmente? O Senhor deve ressuscitar todo dia em seu coração, em sua mente e em sua alma.

Agora, vamos tratar desse demônio da depressão

Sinceramente, espero que você não tenha de lidar com esse demônio da depressão ainda tão jovem. E oro para que você nunca tenha de lidar com ele. Existem chances, porém, de você também poder estar perto de alguém que sofra de depressão séria uma vez ou outra. Como a depressão acontece e como ela pode controlar alguém? Como você pode combater seu raio mortal?

Quando você começa a reclamar como o burrinho Io, personagem da história do *Ursinho Pooh*, quando nada parece dar certo e você está se sentindo cansado e chateado o tempo todo, isso pode ser um tipo de depressão. A depressão pode fazer você se sentir como se o peso do mundo inteiro estivesse sobre seus ombros e você não tivesse respostas para nada. O sol vai embora, ninguém brinca mais, tudo parece cinzento...

Em meu livro para adultos, comentei o Salmo 143 para ajudá-los a encontrar algumas formas de vencer o demônio da depressão. Eles usam uma tradução da Bíblia diferente da sua, mas vamos também observar esse salmo e ver como ele pode ajudá-lo.

Voltando para a luz

Passo 1: Tente descobrir o que está causando o problema

O meu inimigo me perseguiu até me pegar e me derrotou completamente. Ele me pôs numa prisão escura, e eu sou como aqueles que morreram há muito tempo.

Salmo 143.3

Qual era o problema? Ele estava sendo atacado pelas forças das trevas. Ele estava sentindo como se tudo ao

seu redor estivesse escuro e ele não tivesse controle sobre o que estava ocorrendo.

Quando você tem um problema e não consegue imaginar de onde ele vem ou por que se sente tão triste, deve parar e ver se poderia estar no meio de uma batalha espiritual. A batalha está ocorrendo o tempo inteiro e, algumas vezes, pode afetar você pessoalmente.

Passo 2: Veja o que a depressão está realmente fazendo com você

Por isso, estou quase desistindo, e o desespero despedaça meu coração.

Salmo 143.4

Sua reação à depressão pode torná-lo temeroso e sem esperança. Você começa a acreditar que simplesmente está em trevas e não pode encontrar qualquer caminho de volta para a luz.

Passo 3: Pense nas coisas que fazem você se sentir melhor

Eu me lembro do passado. Penso em tudo o que tens feito e não esqueço as tuas ações.

Salmo 143.5

Talvez o ajude se você parar e começar a pensar nas coisas legais que Deus lhe fez até agora. Pense na família amorosa que Ele lhe deu e nos bons amigos que você tem. Pense nas

Joyce Meyer

férias que você teve no último ano ou na alegria que sentiu na escola bíblica de férias. Pense nessas coisas boas.

Passo 4: Agradeça a Deus a despeito de tudo!

A ti levanto as mãos em oração; como terra seca, eu tenho sede de ti.

Salmo 143.6

O que acontece quando você está muito triste? Você quer que as coisas melhorem. Você se sente seco e sedento, e precisa de alguém que cuide das suas necessidades. O salmista disse que uma escolha que você tem de fazer é "buscar o Senhor". Busque-O para ajudar você a manter-se crendo que Ele tem as respostas. Creia que Ele pode fortalecê-lo e fazê-lo feliz novamente. Você pode começar esse passo ao agradecer a Deus por tudo o que fez por você no passado.

Lembre-se de que Jesus disse que Ele é a *Água viva* (veja João 4.10).

Passo 5: Peça a Deus que ajude você!

Ó Senhor Deus, responde-me depressa, pois já perdi todas as esperanças! Não te escondas de mim para que eu não seja como aqueles que descem ao mundo dos mortos.

Salmo 143.7

Você vê o que está acontecendo e se sente como se não pudesse seguir adiante. Realmente, você precisa de ajuda.

Você é como uma pessoa pendurada numa corda e esperando que a equipe de resgate chegue a tempo.

Quando você pede ajuda de Deus, a equipe de resgate dEle chega instantaneamente. Ele envia o Espírito Santo para confortá-lo e cuidar de você, fortalecendo-o para que fique firme até as coisas mudarem.

Passo 6: Ouça o que Deus quer lhe dizer

Peço que todas as manhãs tu me fales do teu amor, pois em ti eu tenho posto a minha confiança. As minhas orações sobem a ti; mostra-me o caminho que devo seguir!

Salmo 143.8

Observe o que lhe está sendo dito. Aqui há três coisas muito importantes:

1. Você deve querer mais do que tudo ouvir o que Deus quer dizer. Seu amor por Ele precisa ser o seu guia.
2. Você deve confiar em Deus para fortalecê-lo.
3. Você deve pedir a Deus que guie seus passos e lhe dê direção, pois suas orações têm subido até Ele.

Passo 7: Você deve orar e orar mais um pouco

Ó Senhor Deus, livra-me dos meus inimigos, pois em ti encontro proteção!

Salmo 143.9

Observe onde o salmista está colocando toda a atenção dele. Ele está pedindo a Deus que o salve. Ele está dizendo ao Senhor que quer estar mais próximo dEle. Imagine um pintinho correndo para sua mamãe galinha, escondendo-se debaixo das asas dela porque ele tem medo de algo estranho por ali.

É a mesma situação. Você pode ir até o Senhor para abrigar-se, e Ele o protegerá. Você deve manter seus olhos nEle como Aquele que pode realmente ajudá-lo. Você deve também tirar seus olhos do seu problema.

Passo 8: Peça a Deus sabedoria e orientação

Tu és o meu Deus; ensina-me a fazer a tua vontade. Que o teu Espírito seja bom para mim e me guie por um caminho seguro!

Salmo 143.10

Quantas vezes perdemos o caminho? Quantas vezes colocamos a preocupação e a energia no problema à nossa frente, em vez de pedir ajuda a Deus?

O salmista não está somente pedindo a Deus que o ajude, mas também está dizendo: "Ainda preciso aprender mais sobre como fazer a Tua vontade. Ainda sou um aprendiz. Ainda preciso de um professor. Ajude-me a fazer a Tua vontade porque Tu és o meu Deus. Tu és meu Salvador pessoal. Já entreguei meu coração e a minha mente a Ti".

Então, ele termina com um desejo, um tipo de oração. Ele ora para que o gracioso Espírito de Deus o dirija adiante. Ele diz: "Coloca-me num chão firme, Senhor. Guarda-me seguro em Ti. Ajude-me a permanecer firme".

Se você tem demônios da depressão ao seu redor, pode livrar-se deles com esses passos. Se precisar de ajuda, você tem sua mãe e seu pai ou um bom amigo para ajudá-lo a prosseguir nesses passos acima. Eis por que Deus nos dá pessoas para estarem ao nosso redor e cuidar de nós.

A coisa principal a lembrar é que você pode fazer algumas escolhas sobre como pensar a respeito das coisas. Você tem algumas ferramentas e pode usá-las para ajudá-lo a pensar de forma melhor, mas essas ferramentas não o livrarão de todos os seus problemas. Se elas o fizessem, seriam apenas como fórmulas mágicas precisando de uma varinha, mas são coisas da vida real que precisam da graça do Pai celestial. Você é filho de Deus. Você sempre tem um lugar para compartilhar seus problemas. Deus vai ajudá-lo até que você possa ver a luz novamente.

"As enlouquecedoras ervas-daninhas da preocupação" (e como se livrar delas!)

Vamos supor que Deus o tenha plantado num jardim. A princípio, você era apenas uma pequena e frágil plantinha, e Ele cuidou de você e lhe deu o suficiente para beber e comer. Ele trouxe o sol para que você pudesse brincar na brisa e desfrutar a beleza ao seu redor. Então você cresceu. Agora que já floresceu, pode ver o mundo muito melhor do que quando era pequeno. Agora você começa a se perguntar sobre tudo.

Pense nisto: Deus plantou as primeiras pessoas num jardim, e Ele fez exatamente isso. Ele providenciou todas as coisas para elas. Ele lhes deu tudo de que precisavam para que crescessem fortes e fossem felizes. Ele estava sempre ali para elas e amava observá-las desfrutando aquele belo cenário. Então, um dia, elas também começaram a se preocupar e a duvidar. Vamos visitar Adão e Eva, nossos primeiros pais, lá no paraíso. Foi ali que a preocupação toda começou.

Plantando preocupações no jardim

Gênesis 3 nos conta a história:

A cobra era o animal mais esperto que o Senhor Deus havia feito. Ela perguntou à mulher: — É verdade que Deus mandou que vocês não comessem as frutas de nenhuma árvore do jardim? A mulher respondeu: — Podemos comer as frutas de qualquer árvore, menos a fruta da árvore que fica no meio do jardim. Deus nos disse que não devemos comer dessa fruta, nem tocar nela. Se fizermos isso, morreremos. Mas a cobra afirmou: — Vocês não morrerão coisa nenhuma! Deus disse isso porque sabe que, quando vocês comerem a fruta dessa árvore, os seus olhos se abrirão, e vocês serão como Deus, conhecendo o bem e o mal. A mulher viu que a árvore era bonita e que as suas frutas eram boas de se comer. E ela pensou como seria bom ter entendimento.

Aí apanhou uma fruta e comeu; e deu ao seu marido, e ele também comeu.

Nesse momento os olhos dos dois se abriram.

Gênesis 3.1-7

Nunca dê ouvidos a uma serpente!

Você pode até achar engraçado que eu realmente o aconselhe a nunca ouvir o que diz uma serpente, mas é que as coisas não mudaram. A mesma serpente que enganou Eva no Jardim do Éden tenta enganar você também.

Você viu o que ela fez no jardim? Primeiramente, ela questionou se Eva realmente compreendeu o que Deus estava dizendo. A serpente fingiu que estava fazendo apenas uma pergunta inocente, mas que levou Eva a duvidar daquilo que já sabia. A serpente levou Eva até mesmo a duvidar daquilo que Deus lhe tinha dito.

Volte um pouco!

Volte atrás um momento e pense nos momentos em que você começou a duvidar. Talvez alguém tenha debochado da sua fé ou lhe feito uma pergunta à qual você não tinha uma resposta, e assim, você começou a se questionar se realmente conhecia Deus tanto quanto pensava. Bem, foi esse tipo de coisa que aconteceu com Eva. Ela começou a duvidar de que realmente soubesse o que deveria fazer.

120

Joyce Meyer

Agora olhe o que essa astuta serpente fez. Ela foi atrás de Eva novamente e disse a Eva algo que sabia que lhe despertaria o interesse. A serpente tentou fazer-se parecer como aquela "que realmente sabe as respostas sobre Deus". Ela lançou dúvidas na mente de Eva sobre a verdade.

A toca da serpente

Volte-se para você. Você pode ter tido uma experiência de alguém compartilhando informações com você na escola que parecem ser verdade. Talvez ele lhe tenha dito que sua mãe realmente não sabe o que está falando quando ela lhe diz para não fumar, porque fumar realmente não vicia, e você pode simplesmente desfrutar isso e até parecer mais adulto. Ele pode fazer parecer que tudo aquilo que você tem ouvido de alguém que o ama e que cuida de você está errado. E então? Ele lhe oferece um cigarro e, talvez como Eva, você pense: "Vou fumar só um. Não haverá problemas".

Eis por que você nunca deve conversar com uma serpente. Uma serpente, sob qualquer forma, seja o próprio Satanás ou até um falso amigo da escola, pode simplesmente estar semeando dúvida e preocupação, e tentando fazer você pecar. Por que você acha que uma serpente rasteja-se lentamente? Por que você acha que ela se oculta no escuro?

Podemos perceber mais coisas nessa história, mas o ponto principal que quero que você perceba é como a dúvida e a preocupação podem trabalhar juntas para levar você a pecar e ir contra as coisas que você sabe que são boas.

Mantendo seu rosto contra o vento

Você está numa idade em que tem de estar atento para permanecer firme em suas crenças. Sua mente será bombardeada com muitos ventos de informações que parecem ser boas, mas trata-se de deuses falsos e ameaçadores.

Se você não estiver bem firmado em sua fé, pode ser levado pela idéia das outras pessoas. Os ventos da dúvida soprarão sobre você vindos de todas as direções. Antes que você perceba, será totalmente arrancado do chão, porque não está bem enraizado. Você será sufocado pelas ervas-daninhas da dúvida e da inquietação. Seu espírito secará, e esse não é um jardim muito bom para se viver.

Encontrando a paz novamente

A paz da mente é essencial para seu crescimento e bem-estar. Você pode ter notado como freqüentemente os escritores da Bíblia e os discípulos de Jesus cumprimentavam-se desejando paz aos outros. Eles viviam em tempos difíceis e não podiam desperdiçar os gloriosos momentos quando a mente deles se sentia livre e o coração descansava em Deus.

Você também, não. Somos felizes por viver uma cultura que permite a liberdade de adorar e as oportunidades para expressar nossa fé em Deus a qualquer momento e em qualquer lugar. Mas muitos no mundo antigo e no mundo moderno não são tão abençoados assim. A paz é um dom de Deus e um dos benefícios de ter seu coração e sua mente alinhados com a vontade de Deus.

A paz é fruto do Espírito

Em Gálatas 5.22-23, lemos sobre o fruto do Espírito. Vamos observar como esses versículos podem nos ajudar quando estamos ansiosos ou preocupados.

Mas o Espírito de Deus produz o amor, a alegria, a paz, a paciência, a delicadeza, a bondade, a fidelidade, a humildade e o domínio próprio. E contra essas coisas não existe lei.

Isso é como Natal o ano inteiro! Deus tem enviado uma pilha de presentes para você ter o tempo todo, e esses presentes são gratuitos porque você é cristão. Você pode ter isso a qualquer momento que escolher tirá-los da árvore do divino amor de Deus por você. Você faz parte do jardim de Deus, está ligado à eterna videira e, assim, está sempre sob os cuidados de Deus. Olhe para esses presentes. Eles são tão grandes que Deus não poderia escondê-los numa caixa, mesmo se quisesse. Eles estão completamente presos com o laço do amor, e tudo o que você tem de fazer é usá-los.

Aquilo que queremos focar agora, contudo, é a paz. Você não consegue ter a mente preocupada e a paz ao mesmo tempo. Isso simplesmente não acontecerá! Você pode, assim como Eva no jardim, ficar conversando com a serpente se você entregar sua mente à preocupação. Somente o Espírito de Deus pode dar paz. E esse é o único fruto que você quer colher.

A preocupação ajuda?

Vamos fazer uma lista das formas como a preocupação pode ajudar sua vida. Vamos ver quantas vezes a preocupação fez algo bom por você. Bem, vamos lá...

Número 1, é...

Bem, vamos deixar o número 1 para depois.

Então, vamos para o número 2... Oh! Sim. Aqui está: a preocupação pode manter sua mente ocupada, não é?

Não, não é. Na verdade, ela leva sua mente a desviar-se da oração a Deus, que é o Único que realmente poderia ajudá-lo com sua preocupação. Assim, elimine a razão número 2.

Certo, a razão número 3 é que a preocupação lhe dá algo para falar com seus amigos. Sim, se uma atitude negativa, tipo "pobre de mim" é o que você realmente precisa, continue assim, mas e daí? Isso o ajuda a obter qualquer resposta? Você encontra alguma solução assim?

Certamente não estou falando sobre conversar quando você realmente está buscando por soluções possíveis e positivas para lidar com a situação que você está entregando a Deus em fé. Estou simplesmente falando sobre aquelas conversas bobas com amigos, quando você tenta fazer os outros perceberem como sua vida é miserável. Isso somente traz mais preocupação!

Você chegou ao ponto: a preocupação nunca oferece qualquer ajuda. Ela nem mesmo leva você a Deus. Ela,

O Campo de Batalha da Mente para Crianças   **125**

simplesmente, leva-o a entrar mais profundamente em si mesmo e confundir todas as coisas até que esteja rastejando pelo chão, assim como a serpente, em vez de estar de joelhos e orar, que é como você deveria estar.

Assim, para que serve essa preocupação?

Vamos olhar mais alguns exemplos bíblicos das coisas que causam preocupação. Não é interessante ver como a Bíblia é atual e diz respeito ao que vivemos? Podemos tirar exemplos maravilhosos dela para nos ajudar naquilo que está acontecendo hoje, no século XXI. Isso é tremendo!

Começando com Mateus 6.25, podemos ver como é inútil nos preocuparmos sobre as coisas do dia-a-dia em nossa vida. Jesus diz:

Por isso eu digo a vocês: não se preocupem com a comida e com a bebida que precisam para viver nem com a roupa que precisam para se vestir. Afinal, será que a vida não é mais importante do que a comida? E será que o corpo não é mais importante do que as roupas?

Vejam os passarinhos que voam pelo céu: eles não semeiam, não colhem, nem guardam comida em depósitos. No entanto, o Pai de vocês, que está no céu, dá de comer a eles. Será que vocês não valem muito mais do que os passarinhos? E nenhum de vocês pode encompridar a sua vida, por mais que se preocupe com isso.

E por que vocês se preocupam com roupas? Vejam como crescem as flores do campo: elas não trabalham, nem fazem roupas para si mesmas. Mas eu llhes afirmo que nem mesmo Salomão, sendo tão rico, usava roupas tão bonitas como essas flores.

É Deus quem veste a erva do campo, que hoje dá flor e amanhã desaparece, queimada no forno. Então é claro que ele vestirá também vocês, que têm uma fé tão pequena! (versículos 25-30).

Sua vida é mais importante do que as coisas!

Enquanto você está aprendendo a pensar sobre as coisas de uma nova maneira, espero que perceba que já é bastante esperto. De fato, já deve ter notado que quanto mais se aproxima de Deus, menos motivos você tem para se preocupar. Quanto mais você tenta se manter ligado ao mundo, mais você se sentirá insatisfeito com o que tem. A verdade é que mesmo que você não tenha o último lançamento para ouvir música ou seu próprio telefone celular, ou roupas da última moda, você tem mais do que a maioria das crianças do mundo. Na verdade, apenas pelo fato de você ter comida na mesa todos os dias e um lugar para tomar um banho quando você quiser ou um lugar aconchegante para dormir, você tem mais do que a maioria das pessoas deste mundo.

Assim, e daí se você não tem um iPod?

A única forma de olhar para isso é tendo a perspectiva certa. Se você se sente não tendo tudo o que seus melhores

O Campo de Batalha da Mente para Crianças **127**

amigos têm, pare e pense melhor nisso. Você não está sendo suprido naquilo que é essencial? Você não tem sido poderosamente abençoado?

A passagem da Bíblia que acabamos de ler traz um lembrete de que Deus cuida de todos aqueles que Ele criou, até mesmo dos pássaros e das flores. Ele tem garantido que a vida pode ser sustentada e desfrutada.

Talvez você deva separar algum tempo e observar alguns pássaros. Você já notou se eles vivem preocupados? G. K. Chesterton disse que "os anjos podem voar porque eles se tornam seres leves". Algumas vezes é como se precisássemos fazer isso, também. Precisamos nos tornar mais leves e levar nossa fé mais a sério, e saberemos, sem dúvida, que tudo de que realmente precisamos já foi provido. Deus já planejou tudo para nosso bem. Ele já planejou tudo para o *seu* bem.

De fato, Ele quer lembrá-lo de que você é mais valioso do que qualquer pássaro, e assim, por que se preocupar?

Busque Deus, procure-O, vá atrás dEle, siga-O!

Uma dos maiores motivos para você se lembrar a qualquer momento quando for tentado a se preocupar está ligada ao versículo 33, que diz: *Portanto, ponham em primeiro lugar na sua vida o Reino de Deus e aquilo que Deus quer, e ele lhes dará todas essas coisas.*

Em outras palavras, quando você realmente procura colocar Deus como o número 1 da sua vida e busca-O em tudo o que você faz, enchendo seus pensamentos com Ele, querendo mais daquilo que Ele tem para oferecer, descobrirá que estará em paz. Você perceberá que está sendo cuidado de uma forma maravilhosa e que não sente qualquer preocupação.

Prossiga! Olhe mais para Ele e menos para o mundo. Você começará a ver as coisas de forma diferente e a pensar da forma certa. Essas ervas-daninhas da preocupação secarão e não mais o sufocarão, porque elas não pertencem mais ao seu jardim. Agora, existe ar fresco para respirar.

Removendo as preocupações

Se você está pensando que simplesmente não consegue deixar de se preocupar, então vamos tentar lhe dar algo a mais para fazer com seu tempo. Afinal, você pode não ser capaz de parar de se preocupar, mas Deus é capaz de ajudá-lo se você realmente quiser vencer isso. Aqui estão algumas idéias:

Viva um dia de cada vez

Vamos supor que você tenha 100 reais na "conta de sua vida", hoje, no banco. Você usa um pouco desse dinheiro simplesmente acordando, se vestindo e se preparando para o dia. Você usa alguns reais pensando sobre a prova que terá na escola ou o treino para o jogo, e assim agora você tem R$ 80,00 deixados para o resto do dia, e são somente oito da manhã.

Às dez da manhã, descobre que sua amiga que está chateada com você, e também você se esqueceu totalmente de entregar o dever de Matemática quando ficou doente na semana passada. Seu professor está aborrecido, e agora você tem apenas 60 reais.

Antes do meio-dia, você está preocupado em como poderá fazer aquele trabalho de Matemática se você sabe que sua família sairá para o jantar. Você terá prova de História mais tarde e ainda não está certo de que está preparado para ela. Você sabe que seu pai ficará bravo se você obtiver outra nota menor do que aquela que você poderia tirar.

Agora o dia nem mesmo chegou à metade e você está somente com 30 reais em sua conta.

Enquanto você caminha da escola para casa, está tão preocupado que nem mesmo vê o garoto que está vindo em sua direção numa bicicleta, e você tem de saltar fazendo com que suas calças fiquem manchadas quando dá de encontro com um poste! Nada está dando certo hoje!

Não perca seus últimos 10 reais

Sua mãe diz que você tem de levar o cachorro para caminhar quando chega em casa, e o cachorro dispara pela rua sem você. Então você terá de passar tempo procurando por ele, sendo que tem a tarefa de casa para fazer. Agora você está somente com 10 reais na conta de sua vida.

Você, literalmente, gastou a maioria de seus reais preocupando-se durante o dia. Como você poderia fazer um depósito na conta de sua vida e ver as coisas se ajeitando antes que se desgaste totalmente?

O que fazer quando você já gastou

Volte atrás em seu dia. Quanto você poderia ter acrescentado à conta do banco? O que você poderia ter escolhido fazer além de se preocupar?

Você poderia ter começado o seu dia com oração. Poderia ter agradecido a Deus por estar com você durante a noite e ter pedido a ajuda dEle em seu dia enquanto fizesse a prova e treinasse para o jogo. Poderia ter-Lhe agradecido novamente por ajudar você e saído de casa com uma conta recheada.

Quando descobriu que sua amiga estava furiosa com você, poderia ter escolhido descobrir o motivo e tentado resolver rapidamente. Poderia separar tempo para conversar com ela e decidido como resolver as coisas. Poderia ter sido ativo tentando resolver o problema, em vez de, simplesmente, preocupar-se com ele.

O mesmo acontece com a tarefa de Matemática. Você poderia ter separado uma parte do tempo do seu almoço e completado a tarefa, ou separado um tempo com seu professor para completá-la no primeiro momento da manhã ou após a aula. Seja qual fosse a solução, não teria de se preocupar com isso. Você ainda teria uma conta cheia para gastar de forma mais divertida.

Você chegou ao ponto. Realmente pode desgastar-se totalmente se passar cada momento preocupado. Cuide das coisas que você puder e deixe o resto com Deus.

Você pode falar a Palavra de Deus em voz alta.

Se você memorizar alguns versículos da Bíblia, isso é algo que o ajudará quando for tentado a se preocupar. Isso está em Filipenses 4.6-7 e diz:

Não se preocupem com nada, mas em todas as orações peçam a Deus o que vocês precisam e orem sempre com o coração agradecido.E a paz de Deus, que ninguém consegue entender, guardará o coração e a mente de vocês, pois vocês estão unidos com Cristo Jesus.

Assim, veja a resposta. Fale com Deus, diga do que precisa e agradeça-Lhe por cuidar de você e estar com você. Você tem a palavra dEle garantindo isso!

Entregue seus cuidados a Deus e permaneça forte.

A preocupação o enfraquecerá mais e mais. Ela rouba sua força e alegria. Olhe o que diz 1 Pedro 5.6-9:

Portanto, sejam humildes debaixo da poderosa mão de Deus para que ele os honre no tempo certo. Entreguem todas as suas preocupações a Deus, pois ele cuida de vocês. Estejam alertas e fiquem vigiando porque o inimigo de vocês, o Diabo, anda por aí como um leão que ruge, procurando alguém para devorar.

Fiquem firmes na fé e enfrentem o Diabo porque vocês sabem que no mundo inteiro os seus irmãos na fé estão passando pelos mesmos sofrimentos.

Eis por que é importante observar o que você está pensando. Quando você está num estado de fraqueza, pode estar certo de que inimigo está à procura de uma chance para entrar em sua vida. Permaneça forte com seus irmãos na fé e poderá facilmente vencer a batalha

Dê um tempo e descanse em Deus.

A preocupação faz muito barulho. Ela o faz manter-se ocupado tentando tanto mover as águas da sua vida de forma que provavelmente não poderá ouvir a Deus se Ele estiver falando com você para tentar ajudá-lo. A preocupação é como uma banda de *heavy-metal* bem barulhenta e detestável. Você precisa colocar um protetor nos ouvidos para poder ouvir melhor. A preocupação diz muitas coisas que prendem sua atenção por causa do barulho que ela faz.

Desligue a preocupação

Pare essa música da preocupação! Desconecte-a! Não ouça mais esse som. Mude o CD para algo muito mais agradável que possa ajudá-lo a relaxar. Descanse nos cuidados e na graça de Deus,

Jesus nos diz em João 14.27:

Deixo com vocês a paz. É a minha paz que eu lhes dou; não lhes dou a paz como o mundo a dá. Não fiquem aflitos, nem tenham medo.

Jesus não se preocupou, e você não tem de se preocupar, também!

Coloque em sua mente que a preocupação é uma perda de tempo.

Mesmo após ler este livro, você, provavelmente, ainda se preocupará com as coisas. Isso parece fazer parte da natureza humana. Mas essa não tem de ser a *sua* natureza. Você pode realmente escolher pensar que a preocupação é perda de tempo. Todos esses versículos da Bíblia estão tentando lhe dizer isso. Quando você for tentado a se preocupar, volte a esses versículos até que eles sejam mais importantes do que tudo com o que possa estar se ocupando. Renove sua mente, e seu espírito será renovado.

Observe Hebreus 13.5:

Não se deixem dominar pelo amor ao dinheiro e fiquem satisfeitos com o que vocês têm, pois Deus disse: 'Eu nunca os deixarei e jamais os abandonarei'.

Você percebe quanto você é protegido? Você percebe que Deus cuida de todo os detalhes da sua vida?

Saia do trem da preocupação e entre no trem cujo Condutor nunca deixa você em qualquer lugar que não queira ir.

Você faz sua parte e Deus fará a parte dEle. Ele não quer que você leve o peso para qualquer outro lugar que não seja aos pés dEle.

Você pode depender dEle, e essa é uma promessa do próprio Deus!

Lá vem o juiz...

Não exatamente o de futebol

Uma pequena história: a juíza do quarto banco

Não é sempre fácil reconhecê-los, mas os juízes estão em toda parte, o tempo todo. Não percebemos quanto eles conseguem observar o que

O Campo de Batalha da Mente para Crianças 137

fazemos, o que dizemos e como nos vestimos, mas isso sempre acaba acontecendo. Observemos aqui do banco do qual estamos falando.

Você trouxe uma amiga à igreja. Sua amiga não vai a igreja alguma e você está bastante empolgado por tê-la ali. Ela está vestida com uma bermuda jeans e uma camiseta com um símbolo sobre a paz. O cabelo dela está pintado de roxo. Ela tem uma tatuagem no ombro esquerdo.

Enquanto você entra na igreja, a juíza sentada no quarto banco começa a análise: "Hummm... não está vestida adequadamente para a igreja; obviamente trata-se de uma menina selvagem com essa tatuagem e cabelo roxo".

Pronto... o apito toca e a juíza dá nota 2 à sua visitante, como alguém que realmente não pertencesse àquela igreja. Embora a juíza a conheça, ela não planeja falar com você nessa manhã. Pelo contrário, ela permanece com seu placar de nota 2.

Mais tarde, no culto, a juíza do quarto banco descobre que sua amiga é uma visitante de outro país. Ela veio nessa manhã para falar brevemente sobre o tema de liberdade e fé, e o que é ser uma menina num país onde a liberdade para expressar sua fé não é permitida. Ela não vai à igreja porque isso é proibido em seu país. Ele é brilhante e compartilha sua fé facilmente. Ela ri do seu cabelo roxo e diz que o pintou assim nessa manhã para estar certa de que chamaria a atenção das pessoas, porque queria que todos ouvissem o que tinha a dizer, especialmente que Deus ama a todos os seus filhos. Todos gostaram de ouvir a história.

A juíza do quarto banco diz a si mesma que ela sabia o tempo inteiro que aquela jovem era uma boa pessoa. Ela revê a nota anterior e agora dá nota 10 à garota. Ela se sente bastante satisfeita consigo mesma por ser tão boa juíza do caráter dos outros. Ela sustenta agora um placar com a nota 10 para a jovem.

Fim da história.

Seja você a visitante ou a juíza do quarto banco, essa história acontece o tempo inteiro. Isso ocorre não apenas na igreja. Em todas as situações que você experimentar, ela acontecerá. Você sempre está julgando ou sendo julgado.

A Bíblia nos diz em Mateus 7.1-5:

Não julguem os outros para vocês não serem julgados por Deus. Porque Deus julgará vocês do mesmo modo que julgarem os outros e usará com vocês a mesma medida que usarem para medir os outros. Por que você vê o cisco que está no olho do seu irmão e não repara na trave de madeira que está no seu próprio olho? Como é que você pode dizer ao seu irmão: 'Me deixe tirar esse cisco do seu olho', quando você está com uma trave no seu próprio olho? Hipócrita! Tire, primeiro, a trave que está no seu olho e então poderá ver bem para tirar o cisco que está no olho do seu irmão.

Por que julgamos os outros?

Algumas das nossas razões podem ser:

- Pensamos que alguém mais não conhece as regras... isto é, as *nossas* regras!

- Pensamos que temos a resposta para tudo e queremos compartilhá-la.

- Queremos que os outros saibam como somos espertos.

- Queremos que os outros prestem atenção em nós.

- Queremos nos sentir bem sobre nós mesmos.

- Cremos que é nossa tarefa endireitar a vida dos outros (isso se chama "orgulho arrogante").

- Pensamos que estamos dando uma ajuda necessária.

- Não paramos para pensar que podemos estar errados.

- É mais fácil dizer aos outros o que está errado com eles do que olhar para nossos próprios erros.

- Esquecemos a regra número 1: ame seu próximo!

Sem dúvida, poderíamos continuar nessa lista, mas vamos observar alguns desses pontos com base no que diz o trecho de Mateus.

A espada de dois gumes do julgamento

De cara, é dito que devemos parar de julgar os outros. Você, provavelmente, lembrou-se de que sempre foi ensinado que deveria julgar os outros para que pudesse decidir se seria amigo deles ou não. Você pensa que isso significa simplesmente ser sábio. Bem, não estamos realmente falando sobre escolher amigos aqui. Estamos falando sobre o que fazemos algumas vezes com amigos e também com pessoas completamente estranhas a nós.

Emitindo julgamento

Esse versículo da Bíblia em Mateus fala sobre aqueles momentos em que somos críticos dos outros de uma forma que pode não ser justa. Pode ser um julgamento inocente sobre o cabelo de alguém, sua aparência ou sua atitude. É correto ter uma opinião e mantê-la para você mesmo, mas se você sente necessidade de comentar sobre isso com a pessoa ou com outros, o problema começa. A Bíblia diz: *Não julguem os outros para vocês não serem julgados.*

Agora, isso é interessante! O texto está dizendo que logo que você emite um julgamento sobre alguém, aquele que está vindo pelo corredor será o próximo que irá emitir esse mesmo julgamento sobre você.

O Campo de Batalha da Mente para Crianças **141**

Subitamente, esse joguinho de julgar os outros já não é mais muito engraçado. Agora, você não é aquele que está no assento do piloto, porque perdeu o jogo logo que começou a jogar. Você simplesmente tornou-se a próxima pessoa a ser julgada! A parte engraçada é que ninguém tem o direito de fazer qualquer julgamento, de forma alguma.

O único qualificado para julgar é *Deus*!

Você tem aprendido que deve "fazer aos outros o que você quer que eles façam a você". A parte que diz "o que quer que eles façam a você", provavelmente, chamou sua atenção. E quanto à primeira parte? E a parte que diz respeito à maneira como você trata os outros? Que nota você daria si mesmo nisso?

Tirando a trave dos nossos olhos

A maneira como julgamos os outros tem a ver com a forma como "vemos" os outros.

Precisamos de lentes novas!

Achamos que alguém que tem um pequeno problema precisa ser corrigido por nós, mas não queremos que ninguém note quando temos um *grande* problema. Estamos cegos para nossas próprias faltas.

Damos a nós mesmos desculpas por nos comportarmos mal, mas, em Romanos 2, a Bíblia diz que não temos

desculpas ou mesmo defesa alguma para o nosso comportamento quando julgamos os outros, porque fazemos as mesmas coisas que eles fazem. Essa trave está tapando nossos olhos e não podemos enxergar a nós mesmos. Espere um momento e imagine uma trave tapando seus olhos. Você consegue ver algo?

Olhos tapados

Você já notou que quando está de bom humor as coisas parecem muito melhores? Você é mais agradável com as pessoas, mais perdoador, mais amável? Você não precisa de que as outras pessoas sejam exatamente como você.

Mas o que acontece quando você está aborrecido com algo e azedo com tudo ao seu redor? Então, você pensa que todos deveriam ver as coisas do seu jeito, e você vê somente as coisas ruins naqueles que estão seu redor. Pensa que o mundo não o compreende. É nesse momento que você está com uma trave no seu olho. É aí que não será capaz de sentir ou perceber o juiz que quer se manifestar dentro de você.

Tendo um bom juízo

Por favor, compreenda que em todo este capítulo sobre o julgamento não estamos falando sobre ter um bom juízo. Não estamos falando sobre as coisas que você sabe que deveria fazer para estar seguro e ser cuidadoso sobre si mesmo e sobre os outros. Estamos falando sobre as coisas que estão engatilhadas em sua mente e lhe dão a desculpa para pensar coisas ruins sobre as outras pessoas.

A batalha em sua mente é constante, e, se não aparecerem traves de uma forma, aparecerão de outra. Andar pela escola vestindo sua roupa de juiz e carregando seu martelo não o ajudará a ter amigos ou a compartilhar o amor de Deus. Isso somente o tornará alguém de quem as outras crianças desejarão fugir.

Como você pode manter o juiz " afastado"?

- Pare de dar desculpas por seu comportamento errado.
- Observe sua própria vida.

Joyce Meyer

■ Olhe para o lado bom dos outros.

■ Peça a Deus que lhe mostre o que você precisa compreender sobre a maneira como você está pensando.

■ Verifique seu coração e seu "termômetro do amor" para saber se seu pensamento está vindo do lugar certo.

■ Observe seu nível de confiança nos outros e veja se você precisa mudar algumas coisas.

■ Observe seus relacionamentos e tente ser mais amável.

■ Agradeça a Deus por ser aquele que lida com todas as coisas que você não consegue compreender sobre as outras pessoas.

■ Desista da necessidade de deixar os outros saberem como você é "certinho".

■ Tire a trave dos seus olhos primeiro.

Vendo mais claramente

Você é abençoado. Você é filho de Deus. Olhe o que a Bíblia diz em 2 Pedro 1.5-9:

Por isso mesmo façam todo o possível para juntar a bondade à fé que vocês têm. À bondade juntem o conhecimento e ao conhecimento, o domínio próprio. Ao domínio próprio juntem a perseverança e à perseverança, a devoção a Deus. A essa devoção juntem a amizade cristã e à amizade cristã juntem o amor. Pois são essas as qualidades que vocês precisam ter. Se vocês as tiverem e fizerem com que elas aumentem, serão cada vez mais ativos e produzirão muita coisa boa como resultado do conhecimento que vocês têm do nosso Senhor Jesus Cristo. Mas quem não tem essas coisas é como um cego ou como alguém que enxerga pouco e esqueceu que foi purificado dos seus pecados passados.

Tirar a trave do seu próprio olho o ajudará a ver mais claramente. Separar um momento para pensar antes que você lance julgamentos sobre alguém o ajudará a ser mais amoroso e bondoso. Você está crescendo no Senhor todo dia. Deixe seu coração guiar seus pensamentos e mantê-lo sempre no amor de Deus.

Seja amoroso consigo mesmo, também

Lembre-se de que, como você tem bons pensamentos sobre os outros, é legal ter bons pensamentos sobre si mesmo, também. Falar de forma bondosa consigo mesmo é uma coisa amorosa a fazer. Algumas vezes, o juiz que está em você é bastante duro consigo mesmo. Se você perceber que isso está acontecendo, volte atrás e aplique a si todas as ferramentas que usa para ser amável com os outros e use-as para si mesmo. Isso o ajudará a ver as coisas mais claramente. Você vai descobrir que a trave dos seus olhos desapareceu.

Capítulo 11

Troque seus pensamentos e suas meias!

Ei, já chegamos?

Você, provavelmente, já esteve com seus pais em algumas viagens que pareciam nunca ter fim. Talvez você já tenha estado preso num engarrafamento, ou a paisagem não tenha sido tão legal,

O Campo de Batalha da Mente para Crianças **147**

ou mesmo, após tirar um cochilo, você tenha descoberto que ainda não tinha chegado ao seu destino. Finalmente, você não conseguindo mais suportar, perguntou ao motorista: "Já chegamos"?

Os filhos de Israel perguntaram: "Já chegamos"?

Agora, volte um tempo na história e tente imaginar os filhos de Israel quando caminhavam em sua jornada à Terra Prometida. Diferentemente de você, eles não tinham uma bolsa térmica com gelo, sanduíches e refrigerantes. Eles nem mesmo poderiam escolher entre quinze restaurantes em cada parada. Pelo contrário, eles tinham um deserto quente, as mesmas sandálias, o maná e codornizes para mantê-los vivos e bem. A cena podia ser um pouco diferente, mas, com certeza, algum menino montado num burrinho por cerca de dois anos, provavelmente, também perguntou: "Já chegamos"?

O problema é: eles ainda não tinham chegado! De fato, aquela multidão caminhou por quarenta anos, e a maioria nunca chegou. A viagem inteira que fizeram deveria durar onze dias, mas levou quarenta anos (veja Deuteronômio 1.2). Você consegue imaginar o que eles estavam pensando!

De qualquer forma, o ponto é que você terá algumas experiências de deserto em sua vida. Você pode até mesmo ter alguma espécie de mentalidade do deserto agora mesmo. O que você está fazendo a respeito disso? Imagine:

se você tiver dez anos de idade agora enquanto lê este livro e se levar quarenta anos para compreender a direção de Deus, você terá cinqüenta anos antes mesmo de começar a viagem. Epa! Não deixe isso acontecer!

Vamos fazer um treinamento sobre o deserto agora mesmo. Esse é o treinamento que o ajuda a sair do deserto em sua própria vida.

O que é uma mentalidade do deserto?

De certa maneira, a mentalidade do deserto é um pensamento "emperrado". É quando você não consegue enxergar outro caminho para ir, não importa para onde olhe. Deus finalmente teve de falar com os filhos de Israel: *Vocês já ficaram bastante tempo neste lugar. Agora saiam daqui e vão...* (Deuteronômio 1.6-7).

Você se lembra de algum momento em que Deus lhe disse "Vamos, você já andou em torno dessa idéia de ficar furioso com seu amigo muito tempo, agora vamos em frente"? Ou: "Você já manteve suas preocupações durante muito tempo, vamos falar sobre isso agora"?

Veja, você pode ficar emperrado com seus pensamentos malcheirosos. Você pode estar num lugar no qual não tem nada que fazer a não ser simplesmente sentar-se ali como um pedaço de barro esperando para ser lançado na fornalha.

Pare com isso! É tempo de prosseguir.

Vamos sair do deserto tão rapidamente quanto possível.

Chegando mais perto da Terra Prometida

Imagine-se tendo de fazer uma pintura a óleo em sua aula de artes na escola. O professor lhe deu a liberdade para pintar tudo o que quiser desde que signifique algo para você e seja alguma coisa da qual se orgulhe de colocar na mostra de artes da escola. Vamos também supor que você goste muito de pintar e que essa seja realmente uma oportunidade empolgante.

Como você começa? Provavelmente, antes de começar a desenhar ou pintar algo, você começará com uma visão, um plano. Você pensa sobre todos os assuntos que gostaria de pintar. Talvez você pinte o jardim que fica atrás da sua casa ou tente copiar uma velha fotografia de sua tia-avó. Você começa pensando claramente sobre o que deseja fazer. Você não pode criar algo, muito menos uma obra-prima, sem um plano.

Você está pronto para pintar?

Talvez sim, talvez não! Você tem uma grande idéia, mas agora uma dúvida lhe chega à mente. Você não está certo de que seja um bom artista e de que será capaz de fazer isso. Você começa a achar que vai falhar. Começa a se lamentar de que não possui as cores certas e seu pincel não é muito bom. Você diz a si mesmo que não será possível fazer isso.

Você está começando a ouvir os filhos de Israel se lamentando? Você consegue ouvi-los dizer que eles deveriam ter permanecido no Egito, porque agora não estão tão certos de que poderão chegar a algum lugar?

Qual é o seu padrão de pensamento?

Se você começar com um padrão de pensamento que diz que não poderá fazer algo, o que acontecerá? Você não será capaz de fazê-lo. É assim que funciona! Se você realmente quiser fazer algo, tem de acreditar que isso é algo que pode fazer. Deus lhe deu muitos dons, e Ele quer que você os use. Ele acredita que você pode pintar.

Se você começar a se lamentar, a se queixar e a sentir-se derrotado, sua visão enfraquecerá. Você se esquecerá do que queria fazer porque estará desviando seus olhos do alvo. Você apenas estará olhando para o que não é perfeito e vendo o céu mais cinzento do que azul. Você agirá à altura de sua própria expectativa de que não conseguirá fazer isso.

Dê um passo para fora de sua pintura por um momento e observe a vida de forma geral. Como você sai da mentalidade de deserto a respeito de qualquer coisa na vida?

O Campo de Batalha da Mente para Crianças   **151**

Passos para tentar

- Crie um plano.

- Creia em sua habilidade para executar o plano.

- Tenha uma atitude de gratidão.

- Pense para onde você irá e não onde você está.

- Busque ajuda e orientação de Deus.

- Lembre-se de sua primeira idéia, seu plano.

- Faça o trabalho! Mãos à obra!

Mudar sua mente é como mudar suas meias... mais ou menos!

Se você já esteve no mesmo ambiente com alguém que não muda suas meias por um dia, dois ou talvez até mais, deve ter notado um cheiro muito ruim no ar. Você pode até mesmo ter sido tentado a perguntar: "Que cheiro horrível é esse"? Meias fedorentas não são diferentes de pensamentos malcheirosos. Você precisa mudá-los o mais rápido possível.

A guerra das meias malcheirosas

Imagine que seu irmão tenha acabado de chegar de um jogo de basquete no sol quente e esteja todo suado. Ele tira os tênis, e o cheiro mais horrível possível se espalha pelo quarto e atinge-lhe em cheio o nariz. Você sugere (gritando) que ele tire as meias e tome um banho. Isso parece bastante razoável. Mas... ele não está com vontade de fazer isso agora.

Alguém faça isso por mim!

Ele olha para você e diz: "Ei! Se isso o incomoda, por que não me traz algumas meias limpas e leva essas meias sujas para o cesto? Eu não quero fazer isso agora".

Você sabe que se fizesse isso as coisas ficariam mais agradáveis para você, mas não há como tocar naquelas meias horríveis. Assim, você desiste e permanece reclamando. Você, finalmente, leva a questão a uma autoridade superior. Reclama com sua mãe.

Aqueles filhos do deserto

Os filhos de Israel fizeram a mesma coisa. Quando as coisas não aconteciam como queriam, eles reclamavam com Moisés. Moisés fazia orações por eles. Ele vivia pedindo a Deus que os ajudasse, mas Deus estava ficando um pouco aborrecido com esses filhos preguiçosos que não gostavam de nada do que Ele fazia por eles. Ele esperava que eles fossem responsáveis para fazer a tarefa que estava diante deles.

Ele espera a mesma coisa de você! Quando sua mente está perturbada com coisas que precisam ser mudadas, limpas ou removidas completamente, você precisa estar pronto para uma nova maneira de pensar. Você é responsável por aquilo que pensa. Você pode permanecer como um filho do deserto se não fizer isso.

Deus o levará adiante

Deus o guiará e dirá qual direção seguir, mas você precisa fazer a caminhada. Ele não poderá fazer isso por você. Você tem uma parte importante a desempenhar. Seja tomando novas decisões para consertar as decisões antigas, seja criando um novo plano para sua vida, você precisa tomar algumas atitudes. Somente você pode pintar sua obra-prima. Sem seu pincel, a tela permanece em branco.

Transferindo as coisas para mais tarde

Em nossa história anterior sobre seu irmão com as meias malcheirosas, vimos a razão por que deixar algo para mais tarde não é uma boa solução. Quando você é tentado a fazer isso, talvez devesse imaginar aquelas meias malcheirosas bem próximas de você. Você sabe que isso significa que você tem de fazer algo agora, nem que seja afastar-se desse mau cheiro.

O tempo é agora!

Quando você está procurando fazer algo tão difícil, como mudar sua mente, é tentado a esperar até amanhã. E, então, você vai pensar que não faz mal algum esperar mais alguns dias. Muitas pessoas fazem isso sobre a oração. Elas pretendem orar, mas simplesmente nunca parecem encontrar o momento. O momento é *agora*!

Seja o que for que precisa ser mudado quando você está no deserto, isso precisa ser feito exatamente agora. Você está sedento agora. Você sabe como é quando está com calor e com sede e o carrinho de sorvete começa a tocar sua música na rua. O que acontece se você não correr imediatamente levando o dinheiro para uma casquinha? É isso mesmo, o carrinho vai embora sem que você compre o sorvete.

Você perdeu o carrinho de sorvete

A mesma coisa pode acontecer em outras áreas da sua vida também. Você pode esperar muito e a chance de mudar as coisas passar. Você terá de esperar muito tempo, e uma jornada de onze dias pode terminar levando quarenta anos. Seu sorvete derreterá.

Se você guarda sua mesada num cofre em seu quarto e sabe que é legal comprar sorvete quando o carrinho passa, então estará preparado e pronto para engolir aquela casquinha com calda de chocolate. Se você não planejar anteriormente, pode não estar preparado, mesmo ao ver o carrinho chegando.

Deus quer que você sempre esteja pronto para receber os presentes que Ele preparou. Em meu livro para os adultos, há dez diferentes formas como eles podem ter dificuldades com os "pensamentos malcheirosos". A lista tenta mostrar as formas como falamos conosco e com as outras pessoas quando não pensamos da forma certa. Adaptei um pouco a lista para você:

Lista dos pensamentos malcheirosos

1. É tarde demais para mudar meu futuro!
2. Quero que outra pessoa faça isso por mim!
3. Tudo é muito difícil!
4. Não posso fazer nada, sou apenas uma criança!
5. Quero agora!

6. Não é minha culpa!

7. Pobre de mim! Pobre de mim!

8. Deus realmente não me ama!

9. As outras crianças têm mais do que eu!

10. Eu farei isso do meu jeito!

Há mais alguma outra desculpa que você costuma usar? Se há, você pode acrescentá-la a essa lista também.

Vamos observar mais um pensamento do deserto e, então, prosseguir. Um dos maiores obstáculos para vencer na vida é aquele que diz: "Tudo é muito difícil, por isso vou desistir"! Você costuma usar essa desculpa?

Quebrando maus hábitos

Vamos imaginar que você goste de mascar chiclete e tem ouvido várias vezes dos seus professores e dos seus pais que você não pode mascar chiclete o tempo inteiro. Você concordou em lembrar-se dessa regra sobre o chiclete. O que acontece?

É difícil lembrar!

Subitamente, é como se todo mundo que você conhece lhe oferecesse chiclete. Eles lhe dizem apenas para guardá-lo para mais tarde, mas você nunca o faz. Você estoura a bola e se esquece dela grudada na boca. Seu

O Campo de Batalha da Mente para Crianças 157

professor vê isso, lembra-lhe a regra e o faz escrever uma centena de vezes que não irá mascar chiclete na aula. Você terá de levar essa tarefa para seus pais assinarem quando estiver pronta. Ficou mais difícil.

Você diz a seus pais: "É muito difícil", e quer desistir. Você perde a coragem de pelo menos tentar. Você perde o que a Bíblia chama de "ânimo". Mas pense melhor!

Romanos 5.3-5 diz:

Também nos alegramos nos sofrimentos, pois sabemos que os sofrimentos produzem a paciência, a paciência traz a aprovação de Deus, e essa aprovação cria a esperança. Essa esperança não nos deixa decepcionados, pois Deus derramou o seu amor no nosso coração, por meio do Espírito Santo, que ele nos deu.

Assim, não perca o ânimo, não desista... prossiga! Você pode mudar sua atitude, mudar sua mente e mudar suas meias a qualquer momento que quiser. Você pode fazer isso porque Deus o ajudará!

Não seja um resmungador! Seja um vencedor!

Capítulo 12

Arrume seus pensamentos, não arrume desculpas!

Você, provavelmente, não faz isso, mas algumas pessoas gostam de dar desculpas quando tomam uma decisão errada. Elas dão razões por que não ouviram seus pais ou por não terem terminado o dever de casa ou por não terem ensaiado piano. Elas ignoram o fato de que Deus faz parte da vida delas.

Nosso alvo, neste capítulo, é dar-lhe algumas ferramentas para ajudá-lo a consertar os problemas que aparecem em sua vida sem ter de arranjar desculpas. Se você pode aprender a arrumar seus pensamentos pela verdade do Espírito Santo, então não será tentado a inventar desculpas. Vejamos alguns exemplos bastante humanos da Palavra.

Encontrando outra pessoa para culpar

Deus nos conhece muito bem. Essa questão de desculpas acontece o tempo inteiro desde a nossa primeira família no Éden. As primeiras pessoas que foram surpreendidas fazendo algo que lhes fora dito claramente para não fazerem tentaram livrar-se arranjando uma desculpa. Observemos a resposta de Adão quando Deus estava tentando encontrá-lo no jardim:

Mas o Senhor Deus chamou o homem e perguntou: — Onde é que você está?

O homem respondeu: — Eu ouvi a tua voz, quando estavas passeando pelo jardim, e fiquei com medo porque estava nu. Por isso me escondi.

Aí, Deus perguntou: — E quem foi que lhe disse que você estava nu? Por acaso você comeu a fruta da árvore que eu o proibi de comer?

O homem disse: — A mulher que me deste para ser a minha companheira me deu a fruta, e eu a comi.

Então o Senhor Deus perguntou à mulher: — Por que você fez isso? A mulher respondeu: — A cobra me enganou, e eu comi a fruta'.

Gênesis 3.9-13

Ei, isso não é minha culpa!

Você viu o que aconteceu? Ninguém assumiu a responsabilidade pessoal por suas ações. Eles, instantaneamente, culpavam um ao outro. Adão culpou Deus porque Ele lhe deu aquela mulher. Em seguida, ele culpou a mulher porque ela lhe deu o fruto. Eva culpou a serpente porque ela a enganou. Qual foi o resultado? Eles se sentiram nus diante de Deus. Em outras palavras, eles se sentiram como se Deus pudesse ver dentro deles.

Você já foi apanhado num momento em que não estava contando toda a verdade e nada mais que a verdade? Se foi assim, você sabe o que é se sentir como Adão e Eva. Eles estavam envergonhados de si mesmos, mas não conseguiram admitir isso.

Mais um ponto para observarmos nessa história é este: Deus estava aborrecido com Adão e Eva pelo que eles fizeram. Contudo, um pouco mais adiante no livro de Gênesis, lemos que, embora Deus os castigasse, Ele imediatamente começou a ajudá-los. Ele fez roupas para eles e cuidou das suas necessidades.

O ponto é que, mesmo quando você peca, Deus lhe perdoa e trabalha com você para ajudá-lo a não pecar novamente. Isso somente pode acontecer quando você admite a verdade, coloca seus olhos e o seu coração nEle, e coopera com Ele para endireitar as coisas.

O "desculpador"!

Sempre que você se encontra numa situação difícil por algo que fez, ou talvez tenha deixado de fazer, sua mente corre para tentar escapar. Como Adão e Eva, você se esconde atrás dos arbustos, esperando não ser descoberto. Eis quando o "desculpador" aparece. Você sempre se sentirá melhor para errar se tiver desculpas para o mau comportamento. Essa é a maneira como nos enganamos e como Satanás nos engana, também.

Que tipo de desculpas nós damos?

- Fiz isso porque meu amigo também fez!
- Ninguém disse que eu não poderia fazer isso!
- Não me sinto bem!
- Não pude fazer nada!
- Não pensei que seria um grande problema!
- Todos os meus amigos fazem isso!
- Eu vi papai fazendo isso!
- Todos querem que eu seja como minha irmã!
- O cachorro comeu o meu dever de casa!
- O despertador não tocou a tempo!
- Todos fazem isso!
- Acho que comi demais!
- Minha mãe não me lembrou disso!
- Sou apenas uma criança!
- Cometi um erro, podem me processar!

Eu gosto desta última desculpa porque parece remover totalmente o erro. A questão é: você pode acrescentar mais desculpas a essa lista ou você pode começar a assumir a responsabilidade por suas ações. Simplesmente porque o jogo das desculpas é jogado o tempo inteiro por todos, não significa que você tenha de se tornar o campeão. Você pode parar de jogar.

Como parar o jogo das desculpas?

- Você pode sair de trás dos arbustos. Não precisa se esconder de si mesmo ou de Deus.

- Você pode enfrentar a verdade. Pode olhar para si mesmo no espelho e admitir que fez algo errado. Você pode ser aquele que assume o erro.

- Você pode se observar para ver como realmente se sente pelo que fez de errado. Se estiver triste sobre isso e desejava não ter feito isso, você pode...

- Voltar-se para Deus e pedir seu perdão. Você não tem de dar a Ele suas velhas desculpas porque Ele não está interessado na razão pelo qual você fez isso. Ele está interessado no que você quer fazer agora para consertar. Ele está interessado no que seu coração aprendeu com isso.

- Você pode aceitar o perdão de Deus e pedir-Lhe que o ajude a não permitir mais que você cometa esse tipo de erro. Eis a parte que podemos pedir todos os dias na oração do Pai-Nosso.

- Se você feriu alguém com sua atitude errada, pode ir até essa pessoa e pedir que ela lhe perdoe. Algumas vezes, você pode mesmo ter de tentar consertar ou substituir a coisa que foi quebrada ou roubada.

Se você não está acostumado com a oração do Pai-Nosso, ela diz:

Porque Deus, o vosso Pai, sabe do que tendes necessidade, antes que lho peçais. Portanto, vós orareis assim:

Pai nosso, que estás nos céus,

santificado seja o teu nome;

venha o teu reino;

faça-se a tua vontade, assim na terra como no céu;

o pão nosso de cada dia dá-nos hoje;

e perdoa-nos as nossas dívidas,

assim como nós temos perdoado aos nossos devedores;

e não nos deixes cair em tentação;

mas livra-nos do mal

pois teu é o reino, o poder e a glória para sempre. Amém!

Mateus 6.8-13

Quando sua mente não está certa do que fazer, pare primeiramente e faça essa oração. Deus o ajudará antes que você cometa um erro.

Em João 8.31-32, Jesus disse, também:

Se vocês continuarem a obedecer aos meus ensinamentos, serão, de fato, meus discípulos e conhecerão a verdade, e a verdade os libertará.

Como a verdade pode torná-lo livre?

O que significa ser livre de algo? Vamos pensar em alguns exemplos:

- Se você não tem dever de casa para fazer após as aulas, está livre para brincar.

- Se você terminou as tarefas domésticas, está livre para assistir à TV.

- Se você pediu a alguém que lhe perdoasse e ele o fez, seu coração se sente melhor.

- Se você admitir algo para si mesmo que não era realmente verdade, é livre para descobrir qual é realmente a verdade.

- Se você tem tempo para si mesmo, é livre para escolher como gastar esse tempo.

O Campo de Batalha da Mente para Crianças **167**

Após ter sido liberto, você será capaz de olhar para trás e ver como certas coisas estavam trabalhando em sua mente para deixá-lo enganado. Você é livre para explorar, para alegrar-se, para cantar, para festejar, para brincar, para trabalhar, para dar, para receber. A liberdade vem com uma variedade de presentes.

Ser liberto significa que você nem sempre consegue perceber que precisa ser livre de algo ou que sua mente está trabalhando para mantê-lo cativo. Sua mente pode ser uma prisão, e isso pode fazer de você um escravo. Você pode pensar de tal maneira que não consiga desfrutar de qualquer liberdade. Foi geralmente nesse momento que você permitiu que o "desculpador" entrasse e fosse acionado, seja porque Satanás estava tentando enganá-lo, seja porque você simplesmente não conhecia a verdade.

A verdade liberta você! Bata palmas, pule, salte de alegria! Você é livre! Todas as vezes que você segue a verdade, deixando que ela o dirija, você é livre. Deus é a Verdade, e Ele sempre o liberta!

Fazendo isso do *seu* jeito!

Uma coisa final que eu gostaria que você pensasse é nisto: você vive num mundo hoje que o aplaude se você fizer as coisas do seu próprio jeito. Você obtém crédito por ser o primeiro ou o melhor ou o mais esperto. Todas essas coisas são legais, mas algumas vezes elas o levam a esquecer-se de outra verdade: você pertence a Deus e não a si mesmo.

O Salmo 78.4-8 diz:

> *Não as esconderemos dos nossos filhos, mas falaremos aos nossos descendentes a respeito do poder de Deus, o Senhor, dos seus feitos poderosos e das coisas maravilhosas que ele fez.*
>
> *O Senhor deu leis ao povo de Israel e mandamentos aos descendentes de Jacó. Ordenou aos nossos antepassados que ensinassem essas leis aos seus filhos para que os seus descendentes as aprendessem, e eles, por sua vez, as ensinassem aos seus filhos.*
>
> *Assim eles também porão a sua confiança em Deus; não esquecerão o que ele fez e obedecerão sempre aos seus mandamentos.*
>
> *Eles não serão como os seus antepassados, um povo rebelde e desobediente, que nunca foi firme na sua confiança em Deus e não permaneceu fiel a ele.*

Deus quer que você tenha uma atitude bastante positiva. Ele quer que você conheça todas as coisas boas que Ele planejou para sua vida. Ele quer que você dê seu coração, sua mente e sua alma para Ele, para que Ele possa abençoar sua vida com coisas boas. Ele quer que seus pensamentos sejam dirigidos a Ele em tudo o que você fizer.

Uma oração por você

Por favor, faça esta oração comigo para que Deus proteja seu coração e sua mente e o ajude a ser um vencedor na batalha pelos seus pensamentos. Agora é um grande momento para aprender como ser forte para que você

O Campo de Batalha da Mente para Crianças **169**

possa vencer a batalha durante toda sua vida. Estarei sempre orando por você.

"Querido Deus,

Por favor, cuide de _____ (coloque seu nome aqui). Senhor, fortaleça seu coração e sua mente diante de Ti. Ajude-o(a) a vencer a batalha. Abençoe-o (a) em tudo que ele (ela) fizer para aprender mais sobre o Senhor e para crescer em espírito de acordo com a tua vontade e a tua misericórdia. Eu te louvo, Senhor, por essa criança maravilhosa. Abençoe-a com pensamentos amorosos e obedientes a cada dia. Amém."

Isaías 55.6-9 nos lembra como o Senhor pensa e o que Ele quer de nós. Veja:

Procurem a ajuda de Deus enquanto podem achá-lo; orem ao Senhor enquanto ele está perto.

Que as pessoas perversas mudem a sua maneira de viver e abandonem os seus maus pensamentos! Voltem-se para o Senhor, nosso Deus, pois ele tem compaixão e perdoa completamente.

O Senhor Deus diz: Os meus pensamentos não são como os seus pensamentos, e eu não ajo como vocês. Assim como o céu está muito acima da terra, assim os meus pensamentos e as minhas ações estão muito acima dos seus.

Tenha bons pensamentos!

Que todos os teus pensamentos possam fortalecê-lo e fazê-lo sorrir diante do Senhor. Seja um filho de Deus em tudo o que você pensar e em tudo o que fizer. Agindo assim, Ele o abençoará sempre.

Obrigada por ter participado deste livro comigo. Minhas orações, meus pensamentos e meu coração estão com você.

Joyce Meyer.